Collection **MAX DU VEUZIT**

LE VIEUX PUITS

A la librairie TALLANDIER

Dans la même collection :

MAX DU VEUZIT

LE VIEUX PUITS

ÉDITIONS TALLANDIER
61, rue de la Tombe-Issoire PARIS (XIVᵉ)

© Librairie Jules Tallandier, 1972.

PREMIÈRE PARTIE

I

UNE PARTIE DE BILLARD

Depuis longtemps, la nuit était venue.

Dans la campagne, les lumières éparses aux quatre bouts de l'horizon s'étaient éteintes lentement, une à une, semant sur les champs et les bois des ombres de ténèbres et des coins de mystère.

Au château des Houx-Noirs, pourtant, on veillait encore.

Au rez-de-chaussée, les fenêtres de la salle de billard rayonnaient, lumineuses, sur la façade toute sombre des hautes murailles de pierre. On les avait laissées largement ouvertes pour mieux goûter la douceur de cette tiède soirée d'automne.

Assise dans un fauteuil, devant un vieux guéridon de mosaïque curieusement ouvragé, Mme Croixmare cousait, pendant que son fils Roger, un homme de trente-trois ans environ, fumait, auprès d'elle, un gros cigare blond dont la fumée montait en spirale bleutée vers le plafond.

— Qu'est-ce que c'est que cette machine-là, maman ? fit tout à coup le jeune homme.

— Quoi donc ?

— Cet ouvrage ?

Il indiquait la tapisserie de sa mère.

Celle-ci répondit :

— C'est un écran de cheminée. Regarde... pour quand tu seras marié.

Il eut une exclamation :

— C'est pour moi que tu te donnes ce mal ?

— Mais oui ! C'est un plaisir, d'ailleurs... Ne m'as-tu pas dit, bien des fois, que tu voulais, une fois marié, rester souvent chez toi et passer, au coin de ton feu, la plupart de tes soirées ?

— En effet. Mais quel rapprochement...

— Celui-ci tout simplement : je travaille à l'embellissement de ton intérieur que je veux, autant que je le pourrai, te rendre agréable... Rien ne retient mieux au logis le mari qu'un nid coquet et confortable.

Le jeune homme se mit à rire :

— Le pot-au-feu conjugal dans un plat doré ! fit-il un peu ironiquement.

— Ne raille pas, protesta la mère. Si tu savais combien je désire te voir heureux !... Ta légèreté m'a donné tant d'inquiétude autrefois...

— Dans un temps préhistorique ! murmura-t-il, haussant imperceptiblement les épaules.

— Oui, c'est loin, heureusement !

Elle ajouta, toute sereine :

— Maintenant, je suis très tranquille : tu es devenu sage, sérieux, rangé... une vie nouvelle s'ouvre devant toi...

— Avec ma chère petite Eliane, acheva-t-il, un éclair de joie dans ses grands yeux noirs.

Le fils et la mère se turent un moment. Leurs pensées à tous deux volaient vers la douce fiancée qui, dans ses petites menottes blanches, semblait tenir leur bonheur, vers la compagne aimée que le jeune homme souhaitait si passionnément posséder, vers la jeune fille fragile que la vieille dame aimait déjà comme sa propre enfant.

Mme Croixmare rompit la première le silence pour demander :

— Ton cousin connaît-il ta fiancée ?

— Vaguement, répondit Roger, tiré en sursaut de ses pensées. Jean l'a aperçue il y a deux ans, à Ostende, pendant la saison, mais elle portait encore des robes de fillette, il n'y fit guère attention, alors !

— Et qu'est-ce qu'il dit de ton mariage ?

— Oh ! nous n'en avons encore que peu parlé puisqu'il est arrivé ici au moment du dîner... un peu brusquement, même ! ajouta-t-il, le front soudain rembruni.

— Oui, il ne nous avait pas prévenus.

— Voici trois mois qu'il ne m'avait pas écrit, reprit Roger, une intonation plus dure dans la voix.

La vieille dame sourit indulgemment.

— C'est un grand étourdi ! Il restera enfant toute sa vie. Pourtant, fit-elle, j'aurais préféré qu'il nous eût avertis, car je lui aurais fait préparer une chambre ici.

— Bah ! il n'est pas plus mal au pavillon.

Le pavillon, ancien rendez-vous de chasse, servait à présent d'annexe à la maison principale. Situé au milieu des sapins, à l'autre extrémité du parc qu'il fallait traverser en entier pour y aller, il abritait, à l'automne, une partie des hôtes toujours très nombreux que le château invitait à ses chasses et qu'on ne pouvait, tous, loger au château.

Roger s'était levé de son siège.

De long en large, il arpentait maintenant l'appartement.

La présence de son cousin aux Houx-Noirs

mettait, pour lui, comme une note sombre dans son bonheur si franc de fiancé heureux, sans qu'il se rendît bien compte de cette appréhension bizarre qui l'obsédait depuis l'arrivée de Jean.

Après un instant de silence, Mme Croixmare reprit :

— Sais-tu pourquoi Jean est venu ainsi, sans crier gare ?... Te l'a-t-il dit ?

— Non, mais je m'en doute !

— De nouveaux besoins d'argent ?

— Probablement.

Elle hésita, puis demanda :

— Et si c'est cela, qu'est-ce que tu comptes faire ?

— Je ne sais pas encore.

Elle leva les yeux vers lui, une prière au fond de ses prunelles grises.

— Ne sois pas trop dur... C'est le fils de ma sœur... Il n'a pas eu beaucoup de chance dans l'existence, jusqu'ici...

Roger eut un geste d'impuissance.

— Il n'a rien fait pour conjurer la malchance, non plus !... Il compte beaucoup trop sur les autres.

Elle acquiesça :

— Oui, c'est vrai, il abuse un peu...

— Ah ! certes, il abuse ! s'exclama Croixmare avec conviction.

Puis, plus doucement, il ajouta :

— Enfin, ne t'inquiète pas, maman. Je ferai pour le mieux.

Ils se turent soudain.

Sur les dalles de pierre du large vestibule, un pas d'homme résonnait.

Et Jean Valmont entra.

Il était jeune, trente ans au plus ; pourtant,

quelques rides précoces autour des paupières, quelques fils blancs dans les cheveux, aux tempes, donnaient à sa physionomie ce je ne sais quoi qui indique l'homme fait, l'homme qui a vécu, celui qui a même trop abusé des plaisirs de la vie.

Jean Valmont habitait Paris et n'était que depuis quelques heures au château où son arrivée avait surpris chacun. Habituellement, il s'annonçait toujours par une lettre ou par une dépêche. Ce jour-là, il était survenu brusquement sans que rien fît présager son passage aux Houx-Noirs.

Tout de suite, en entrant dans la grande salle de billard, il s'excusa auprès de sa tante et de son cousin.

— Pardonnez-moi de vous avoir quittés ainsi, aussitôt après le repas, mais il fallait absolument que je fasse partir une dépêche ce soir.

— Rien d'ennuyeux pour vous, j'espère, Jean ? s'informa la vieille dame avec un maternel intérêt.

— Non, non ! répondit-il vivement.

Et pour couper court à toute autre question, il se tourna vers Roger :

— Nous jouons une partie de billard, veux-tu ? proposa-t-il.

Croixmare accepta.

Ils choisirent leurs queues et, en ayant frotté le bout avec de la craie, ils commencèrent sans plus de paroles.

La partie manquait d'entrain. De brèves phrases, alternant avec le heurt sec des queues poussant les boules, coupaient d'une façon monotone le mutisme préoccupé des joueurs.

— Ça va !

— Vingt-trois...

— Oui, mais à moi... là ! tiens ! regarde ce quatre bandes.

— Parfait !

— Je compte trente-cinq maintenant.

— Veinard, va !

— Oui, j'ai de la chance, ce soir !... Quelle catastrophe, par ailleurs, va-t-il m'arriver en revanche ?

Jean disait cela du bout des lèvres, avec un sourire contraint. Sous son apparente gaieté, on devinait une amertume... peut-être même une obsession inquiète.

Pendant que les queues cognaient les billes et que celles-ci roulaient silencieusement sur le drap vert ourlé de palissandre, Mme Croixmare examinait attentivement son neveu.

Elle dit soudain, sa voix claire jetant une note plus gaie dans l'appartement :

— Jean, je vous trouve changé. Vous êtes amaigri.

Il répondit, sans cesser de jouer :

— Croyez-vous, ma tante ?

— Il y a longtemps que je ne vous avais vu. Vous paraissez plus mince que l'année dernière... N'est-ce pas, Roger ? Regarde ton cousin.

Croixmare jeta un bref coup d'œil sur le jeune homme.

— Heu !... Jean n'a jamais été bien gros.

— C'est vrai ! Pourtant, il me semble... Vous avez l'air fatigué, ajouta-t-elle, souriant maternellement.

— J'ai eu de satanés soucis, aussi !

De nouveau, une ombre de tristesse avait imperceptiblement plissé son front.

Roger, l'instant d'avant penché sur le billard, s'était redressé et presque brutalement répliquait :

— Dis plutôt que la vie que tu mènes n'est pas faite pour te rembourrer... C'est esquintant, la fête, tu sais !

— La fête ! Oh ! tu exagères. Je ne la fais pas tant que ça, va !

Ses yeux bleus, en éclair d'acier, avaient croisé ceux de son cousin qui l'examinait d'un air ironique.

Mais déjà Mme Croixmare s'interposait, effaçant par son ton amical la secrète irritation que les paroles de son fils avaient fait naître.

— Vous devriez rester longtemps ici, Jean. Le grand air vous rendrait vivement les couleurs. Quelques jours, voyez-vous, ce n'est pas assez ; c'est un mois ou deux de repos qu'il vous faudrait.

— Vous êtes trop bonne, ma tante, et je regrette de ne pouvoir profiter de votre aimable invitation.

— Pourquoi ? Voyons ! qui vous en empêche ? Vous êtes libre.

— C'est vrai, mais on ne fait pas toujours ce qu'on veut... Malheureusement, des affaires assez importantes me rappellent à Paris à la fin de cette semaine.

Il étouffa un soupir. Il pensait à la gravité de ces affaires qui l'appelaient si impérativement, à date fixe, à Paris.

Sans remarquer, la vieille dame reprenait :

— Mais vous reviendrez pour le mariage de Roger ?... Il faudra même arriver quelques jours à l'avance, n'est-ce pas ?

Jean s'inclina pour remercier.

— Oh ! certes, je reviendrai pour ce mariage,

répondit-il. Mon cousin ne me pardonnerait pas une défection en un tel jour.

— Tu seras mon garçon d'honneur !... s'écria Croixmare que la pensée de son prochain mariage venait soudainement d'égayer.

Intérieurement, il se rappelait la douce vision blonde et élancée de sa fiancée, et un incarnat momentané brunissait ses joues mates.

— Et pour quelle date, la noce ? interrogea Valmont, dont le front s'était rembruni.

— Dans quatre semaines, répondit la vieille dame. C'est ici qu'elle aura lieu.

Jean, étonné, la regarda :

— Ici ? fit-il.

— Oui, expliqua-t-elle. Eliane, évidemment, a encore sa mère, mais elles habitent chez une tante, à Bléville, dans le Dauphiné ; seulement, la propriété, pourtant plus grande que celle-ci, n'offre ni le confortable nécessaire ni les commodités indispensables pour cette cérémonie. Alors, d'un commun accord, nous avons décidé que le mariage se ferait aux Houx-Noirs.

— Et c'est pourquoi ma chère Eliane arrive demain ! lança joyeusement Roger.

— Demain ! répéta Valmont qui devint plus grave encore. Alors, je la verrai ?

— Certainement.

— Elle va rester ici jusqu'au dernier moment, acheva d'expliquer la maman.

Négligemment, en poussant sa bille avec une apparente attention, Jean demanda :

— Sa mère l'accompagnera-t-elle demain ?

— Naturellement !

Pour cette exclamation, Roger avait pris un ton si comiquement désolé que l'autre se mit à rire.

16

— Diable ! Elle tient de la place, la mère, hein ? fit-il, soulignant ses paroles d'un coup d'œil significatif.

Croixmare poussa un soupir dont il exagéra gaiement l'importance.

— Encombrante, mon cher ! Et la tante ! Il faut compter avec elle, je t'assure !

— Ah bah !

— Des principes austères, des préjugés étroits... et des idées sur le mariage !

Il sourit, certaines réminiscences amusant sa pensée.

— Ainsi, continua-t-il, Mlle de la Brèche — c'est le nom de la tante — ne s'est pas mariée parce qu'elle n'aurait jamais voulu d'un homme qui eût.. aimé avant son mariage !

— Oh !

— D'après cela, juge des singulières opinions qu'elle émet parfois sur les fiancés ou sur les gens mariés !

Il se mit à rire.

Mme Croixmare secoua la tête en souriant. Elle se rappelait les préliminaires des fiançailles, et elle les résuma :

— Pour que je puisse obtenir des deux dames la main de la jeune fille pour mon fils, il a fallu l'intervention du général Gaillard, le seul homme qu'elles estiment au monde.

— Et il a affirmé que tu n'avais jamais... aimé ! dit Jean en pouffant de rire.

— Pas précisément, répondit Roger, légèrement embarrassé. Le général sait bien, lui, qu'il faut que jeunesse s'amuse. Un homme ne fait un bon mari que lorsqu'il a jeté sa gourme...

— Le général a expliqué tout ça à Mme de Surtot

qui s'est laissé convaincre assez facilement, ajouta la vieille dame.

— Alors, vive la joie ! Et tous mes vœux, mon cher, fit Jean en secouant une importune pensée.

La partie de billard était finie. Les deux jeunes gens posèrent leurs queues et allumèrent des cigares.

Puis, un domestique apporta des liqueurs sur un plateau d'argent.

Dix heures sonnèrent.

Mme Croixmare plia aussitôt son ouvrage et se leva :

— Vous me pardonnerez, mes enfants, de vous quitter, mais je suis un peu fatiguée... l'habitude de me coucher de bonne heure. A mon âge, on ne sait plus veiller.

— Je vous en prie, ma tante, ne changez rien pour moi, pria Valmont. Je vais rester avec Roger.

— C'est ça, causez ensemble... vous devez avoir beaucoup de choses à vous dire... entre jeunes gens !

Elle les quittait, mais elle se rappela ne pas avoir indiqué à Jean l'appartement qu'il allait occuper aux Houx-Noirs et vivement elle expliqua :

— Mon pauvre ami, j'allais vous laisser sans vous prévenir... On vous a mis au pavillon pour cette nuit. Tout est bouleversé, ici, avec ce mariage ; et les chambres sont encombrées.

— Je serai très bien au pavillon, fit Jean, indifférent.

— Mais il vous faudra traverser le parc.

— Bah ! la belle affaire ! C'est une promenade !

Comme, malgré son affirmation, elle gardait un air navré, il ajouta :

— Voyons, ma tante, ne vous inquiétez pas pour

si peu. Ici ou là-bas, c'est la même chose... A moins que vous ne redoutiez pour moi la présence des gnomes et des sylphes autour du vieux puits près duquel il me faudra passer tout à l'heure.

Ils se mirent à rire tous les trois.

— Vous êtes trop grand, maintenant, Jean! C'est vous qui leur feriez peur.

— Juste revanche !... Ils ont assez effrayé, autrefois, mon imagination de petit garçon pas sage.

— Je me souviens... J'étais aussi capon que toi, murmura Roger, amusé de ce retour en arrière.

— Parce que tu n'étais pas moins terrible, conclut en riant la vieille dame qui se rappelait l'enfance bruyante et indisciplinée des deux cousins.

Elle dit encore :

— Vous savez, Jean, si demain vous voulez accompagner Roger à la gare au-devant de sa fiancée, il ne faudra pas vous levez trop tard...

— Je suis très matinal.

— C'est à dix heures et demie qu'arrive le train.

— Je serai prêt à partir avec mon cousin, fit-il aimablement.

— C'est entendu.

Elle prit enfin congé d'eux.

Maternellement, elle les embrassa l'un après l'autre. Et doucement, à menus pas, la marche déjà alourdie par l'âge, elle quitta l'appartement.

II

UNE DISCUSSION ORAGEUSE

Restés seuls, cigares à la bouche, les deux hommes s'enfoncèrent paresseusement dans des fauteuils.

Quelques phrases banales, dites du bout des lèvres, sans conviction et sans intérêt, volèrent d'abord entre eux, mais de nouveau la gêne du début de la soirée les ressaisit peu à peu.

Il était évident que si Valmont, comme son arrivée subite le faisait supposer, avait quelque confidence à faire à son cousin, celui-ci, en retour, s'efforçait de ne pas la provoquer. Peut-être même, intérieurement, Roger redoutait-il ce que l'autre avait à lui dire.

Cependant, après quelques minutes d'hésitation, Valmont se décida tout à coup.

Se levant, il fit quelques pas dans l'appartement ; puis, délibérément, vint se planter devant son cousin.

— Roger, murmura-t-il, un peu gêné, malgré son apparente assurance, j'ai des ennuis... des ennuis d'argent... il me faut... beaucoup...

Il s'arrêta, cherchant sur le visage de l'autre un

encouragement qui ne venait pas ; alors, il lança le chiffre, la voix plus affermie :

— Il me faut quarante mille francs pour la semaine prochaine.

Croixmare conserva son impassibilité.

— Heu ! Quarante mille francs, un joli denier... Mes compliments, tu vas bien ! répondit-il légèrement.

Comme Jean, interdit de son calme, restait planté devant lui, il demanda enfin :

— Alors ?... Qu'est-ce que tu vas faire ?

— Mais... les payer !

— Parfait ! Tu as l'argent ?

— Non... J'ai compté sur toi.

Un sourire ironique plissa les lèvres de Roger.

— Vraiment ! Sur moi !

— Il est impossible que tu me refuses cette somme, balbutia Valmont, embarrassé.

— C'est cependant ce que je me propose de faire !

Une supplication passa dans les prunelles de l'autre :

— Allons, ne te fais pas si dur. Qu'est-ce que je te demande ? Quarante mille francs ! Une bagatelle pour toi !

Roger secoua la tête.

— Ma fortune est certainement grande, mais elle ne me permet pas, chaque semestre, de payer toutes tes folies.

Valmont haussa les épaules.

— Mes folies !... Des dépenses absolument indispensables pour pouvoir tenir mon rang devant tous ceux qui ont connu mes parents ou qui ont été en relation avec ma famille.

— Qui t'oblige à mener un tel train de vie ?

répliqua Roger froidement. Puisque tes moyens ne te permettent pas de continuer cette existence de désœuvré, change-la... travaille... Tu nous avais promis de travailler.

— Je travaille, mon cher ! Et c'est pourquoi j'ai besoin de cette somme qui va me permettre d'avoir une véritable situation.

— Oui-da ! je vois le genre de travail que tu fais !... Un travail qui coûte quarante mille francs avant de rapporter un sou... Tu ne me crois pas assez bête pour gober cela ?

Il ralluma posément son cigare qui s'était éteint.

— Ecoute, fit Valmont, angoissé. Je te jure que cette somme est déstinée à une affaire sérieuse... Si tu me la donnes, je n'aurai plus jamais recours à toi, dans l'avenir, car ma position sera assurée...

— Je ne te crois pas !... Au surplus, pourquoi choisis-tu un emploi où de l'argent est, avant tout, nécessaire ? Cherche autre chose, mon bon ! Les places ne manquent pas.

Une colère secoua Valmont qui ne se retenait pas.

— C'est facile à dire quand on ne fiche rien ! s'écria-t-il violemment. Comment peux-tu parler ainsi, toi, qui, en argent, as eu tous les bonheurs : ton père t'a laissé une brillante situation et successivement un oncle, une marraine, une vieille cousine, ont concouru à l'augmenter... Tu héritais de tous les côtés ! Et comme si ce n'était pas encore assez, tu épouses une jeune fille plusieurs fois millionnaire. Dans six semaines, tu seras deux fois plus riche encore... Je suis loin d'avoir ta chance, moi... Des dettes, des créanciers, ou bien le ventre vide, voilà mon lot !

— Parce que tu le veux bien ! Je t'ai déjà tiré d'affaire cinq ou six fois...

— Oui, en effet ! tu m'as tiré d'affaire, c'est-à-dire que tu as acheté mes principales créances ; mais, comme je n'ai qu'un médiocre revenu, totalement insuffisant pour vivre, il m'a bien fallu chercher un moyen d'existence... J'ai fait ce que j'ai pu... Est-ce ma faute si je n'ai trouvé, jusqu'ici, aucune occupation sérieuse ?

— Si bien que te voici encore dans le pétrin !

— Justement ! avoua Jean piteusement.

Sa colère passait subitement devant la nécessité impérieuse de ne pas mécontenter l'autre.

— Tant pis pour toi, déclara pourtant Roger sans pitié. Moi, j'en ai assez de te tendre la main.

Une angoisse serra la gorge de Valmont. Ses yeux implorèrent son cousin et il balbutia, s'efforçant de sourire :

— Non ! c'est une plaisanterie... Tu ne parles pas sérieusement... C'est pour te faire tirer l'oreille.

— Pardon, répliqua Croixmare sèchement en se levant pour arpenter la pièce, je suis très sérieux en ce moment. S'il y a mauvaise plaisanterie, elle n'est pas de mon côté.

— Tu ne crois pas que j'aie besoin de cette somme ?

— Oh si ! je ne mets pas tes dettes en doute... Ce que je m'explique moins, c'est ta requête d'aujourd'hui...

Il lança quelques bouffées de fumée et continua :

— Il y a six mois, quand tu es venu me demander une certaine somme, il était bien entendu que c'était la dernière fois. Je ne voulais pas, d'abord... puis, devant tes pleurs, tes supplications, tes promesses, j'ai fini encore une fois par céder et par payer. Aujourd'hui, ce ne sera pas la même chose : je ne me laisserai pas émouvoir... Parce que tu m'as rendu autrefois un certain service, tu abuses de la situation... Je suis la bonne poire que tu tapes trop facilement. Si je cédais une nouvelle fois, je te donnerais un motif de plus de me considérer comme ton débiteur à perpétuité... Merci bien ! Avant mon mariage, je veux secouer ton joug... Tu as besoin d'argent, cherches-en. Moi, je ne marche plus !

Il se rassit et, nerveusement, jeta son cigare puis en ralluma un autre.

Le ton net et tranchant de son cousin déroutait un peu Valmont. Il avait compté sur quelques rebuffades, mais non sur un échec si formel, et les paroles de Roger ne lui laissaient guère d'espoir.

Pendant quelques minutes, il garda le silence, ruminant toutes sortes de réflexions et ressassant en même temps toutes ses rancœurs de déshérité qu'un parent riche repousse inexorablement.

Croixmare le suivait des yeux sans mot dire, bien décidé à ne pas céder. Très calme en apparence, il s'inquiétait vaguement, pourtant, au fond.

A quelle extrémité son refus allait-il pousser Jean Valmont ?

Il fut bientôt fixé.

Le front barré d'un air résolu, l'œil dur, les lèvres sèches, Valmont vint se rasseoir en face de lui.

Et il questionna brusquement :

— Dis-moi, elle a les idées larges, ta fiancée ?

Roger sursauta. La question l'inquiétait par son inattendu.

— Laisse ma fiancée tranquille, dit-il avec

24

calme, néanmoins. Son nom n'a rien à faire dans notre entretien.

— Eh ! qui sait ? riposta l'autre d'un ton plein de sous-entendus. Notre conversation l'intéresserait peut-être... elle ou sa mère... sa mère qui n'a certainement aucune raison d'être sourde ou aveugle.

Roger se dressa sur son fauteuil. Son regard cherchait à intimider son cousin.

— Que veux-tu dire ? fit-il menaçant.

— Que si jamais elle apprenait que tu n'es pas...

— Que je ne suis pas quoi ?

— Tout ce que tu parais être, acheva Jean, sans s'émouvoir de l'attitude hostile du jeune châtelain.

Il ajouta, un sourire ironique plissant à son tour ses lèvres hautaines :

— Je crois qu'alors, mon cher, on te remercierait, malgré les renseignements du général Gaillard.

Et un éclat de rire gouailleur ponctua ses paroles.

Croixmare s'était levé, très pâle. Mais il ne voulait pas laisser voir que la réflexion de l'autre l'avait touché. Il fit un effort pour se dominer et rester calme.

— Tu ferais mieux de parler d'autre chose, fit-il seulement. Tes paroles ne sont pas toujours du meilleur goût.

— Dans tous les cas, tu ne les prises pas, c'est évident !

Jean se mit à rire, puis continua :

— Pour te faire plaisir, je ne demande pas mieux que de changer de sujet.

— Ce sera préférable pour ta dignité, remarqua Croixmare de son même ton tranchant.

— Pour la tienne aussi ! riposta Valmont posément.

Il sentait bien l'avantage qu'il avait remporté sur son cousin, et il continuait, très maître de lui, d'autant plus calme qu'il voyait gagner peu à peu Roger :

— Causons de mes affaires financières, préfères-tu ? C'est plus intéressant, peut-être ! Je vois, du reste, un certain rapport entre elles et ton mariage... C'est même pour ça que je suis ici... Apprenant tes riches fiançailles... le puritanisme de ta future famille, — ne te mords pas les lèvres ! je le savais avant que tu m'en aies parlé, — je m'étais dit : « Roger est un bon garçon ; plutôt que de me savoir embêté... que de l'être lui-même... il préférera m'avancer encore une fois la somme dont j'ai besoin. »

Il fit une pause pour juger de l'effet de ses paroles, puis il continua :

— Au surplus, il ne s'agit encore que de me donner une avance sur la somme que me versera l'Assurance Moderne quand j'aurai quarante ans... Tu ne peux pas dire que tu m'aies jamais véritablement donné de l'argent, puisque tu as toujours exigé ma signature et tu sauras bien, au bon moment, réclamer ce que tu m'aurais avancé !... Donc, aujourd'hui encore, pour nous éviter des ennuis... à moi comme à toi, tu me prêtes ces quarante mille francs...

Il cligna de l'œil et conclut :

— Tu as compris ?... Je puis compter sur toi ?

Croixmare le regarda, une fureur au fond de ses prunelles fixes.

Un moment, il se demanda s'il n'allait pas sauter sur son cousin et l'étrangler ; mais, se dominant

26

encore, il répondit avec calme, bien qu'une rage mal contenue fît trembler sa voix :

— N'insiste pas, c'est inutile. Tu n'auras rien de moi.

— Mais si, j'insiste ! parce que je sais que tu feras ce que je te demande, dit en riant Valmont, qui reprenait de plus en plus confiance. Je suis embêté... diablement embêté. Il me faut quarante mille francs avant lundi. Roger, veux-tu, généreusement, me les donner ?

Encore une fois, il cherchait à vaincre proprement la résistance de son cousin. Mais la colère commençait à avoir raison de celui-ci.

— Non !... Tire-toi de là comme tu pourras.

— Tu sais bien que je n'ai aucun crédit... à moins de faire des dupes ! Jamais je ne pourrai, en trois jours, réunir les fonds nécessaires.

— Tant pis pour toi ! J'ai assez de mes propres soucis...

— Mais, au fond, tu serais désolé qu'il m'arrivât des désagréments. Ecoute : j'attache la plus grande importance à payer cette somme exactement à l'heure dite... Il faut que j'évite tout scandale en ce moment... Lamy, le gros financier, compte m'intéresser dans une entreprise qu'il va monter. S'il apprend que je ne suis pas solvable, l'affaire est ratée... Il s'agit de ma position... de ma fortune, peut-être ! Tu ne peux pas hésiter... Tiens, pis que ça, c'est pour me sauver du déshonneur... J'ai donné ma parole et engagé ma signature...

Sa voix tremblait malgré lui. Il avait usé de tous les arguments. Son émotion était sincère en cet instant ; mais Croixmare était maintenant buté dans sa résolution de ne pas céder.

— Débrouille-toi ! Je m'en lave les mains !

Jean devint blême. L'indifférence de son cousin soufflettait en plein son orgueil et, soudain, il regrettait ses prières et ses supplications.

— Ah! c'est ainsi! s'écria-t-il. Ta sécheresse m'enlève mes derniers scrupules, mon cher! Tu vas voir...

— Quoi encore? fit Roger dédaigneusement.

Valmont ne se possédait plus.

— J'ai des autographes à vendre, les achètes-tu? s'écria-t-il.

Comme l'autre souriait moqueusement, sans répondre, il dit encore :

— Ne ricane pas, ce ne sont pas les miens!

— De qui sont-ils?

— De toi.

Croixmare éclata de rire. La note en était un peu forcée.

— Ah! bah! Tu as des créances de moi? fit-il, narquois.

— Mieux que ça... des lettres indiquant à quels expédients tu as eu recours, autrefois, pour payer tes dettes à l'insu de ta famille.

Roger eut un sursaut :

— Qu'est-ce que c'est?... du chantage? dit-il, les yeux soudain étincelant de fureur.

— Tu peux appeler cela du nom qu'il te plaira, répliqua Jean, sans baisser le ton. J'ai des lettres à vendre : le prix est cent mille francs. Les veux-tu? A ce prix-là, je connais un homme qui me les achèterait pour la seule chance de t'enlever ta fiancée... Je te donne la préférence.

Croixmare ne se contint pas plus longtemps. Blême de colère, il marcha vers Valmont, qui recula un peu.

— Si tu as des lettres signées par moi, tu vas

avoir l'obligeance de me les rendre ! s'écria-t-il, la voix frémissante de courroux.

— Elles sont à moi, répondit Jean, qui conservait son calme.

— Non !

— Si ! Elles m'ont été données par la dame à qui tu les a écrites... Il faut constater qu'elles ne sont pas faites pour honorer leur signataire.

— Misérable ! rugit Roger qui saisit Jean par le col de son veston. Donne-moi ces lettres !

— Contre espèces sonnantes, oui ! fit Valmont en essayant de se dégager.

— Jamais.

— Alors, tu ne les auras pas...

Croixmare, rendu fou par les menaces de chantage de Jean, resserra son étreinte et secoua celui-ci sans merci.

— Lâche-moi ! criait Jean en essayant de le repousser.

— Ces lettres, où sont-elles ? répétait Roger, haletant sous l'effort et la fureur.

Malgré le danger de sa situation, Valmont résistait énergiquement. Après tout, c'était sa dernière chance qu'il jouait.

— Ces lettres ?

— Je ne les ai pas sur moi... Je ne suis pas un imbécile !

— Vas-tu me les donner ?

— Sans argent, jamais !

— Si !

— Non !

— Scélérat ! Bandit !

— Ah !... lâche-moi !

Il y eut un court corps à corps entre les deux hommes. Roger, au comble de la colère, essayait de renverser Jean sur la table de billard avec l'intention évidente de lui fracasser la tête dessus. Comme il était de beaucoup plus fort que Valmont, il y serait sans doute parvenu si, par bonheur pour celui-ci, un domestique, attiré par le bruit de la lutte, n'avait entrouvert la porte.

Roger lâcha aussitôt son cousin.

— C'était comme ça qu'il faisait, tu vois ! fit-il, se maîtrisant pour donner le change au serviteur.

Jean se redressa, très pâle, de la violente secousse qu'il venait d'essuyer.

— Je ne suis pas étonné que l'autre le lui ait fait payer cher, répliqua-t-il froidement en rectifiant sa tenue.

Et par prudence, mais sans obstination, il mettait le billard entre lui et son brutal cousin.

Quand le domestique se fut éloigné, il eut un ricanement amer.

— Il était temps que Baptiste arrivât. J'ai cru vraiment que tu allais m'étrangler... C'est une solution qui t'aurait tiré d'embarras sans bourse délier.

L'autre poussa un rugissement. Sa colère s'excitait encore du court répit de calme que la présence du valet lui avait imposé.

— Rends-moi mes lettres ! répéta-t-il sourdement en cherchant à rejoindre Jean.

Valmont s'élança vers la porte dont il tourna le bouton de serrure.

— C'est cent mille francs !... Ne me touche plus, sinon j'exige le double... Donnant, donnant : tes lettres, tu peux les avoir pour cent mille francs, je te l'ai dit... Maintenant, bonsoir !... Réfléchis jusqu'à l'aurore. Si demain, à mon réveil, je n'ai pas l'argent, il sera trop tard ensuite ; un autre me donnera ce que tu m'auras refusé.

Sans s'arrêter, il quitta la salle, refermant la porte derrière lui.

Resté seul, Roger, dont la colère était loin d'être calmée, se mit à marcher nerveusement de long en large dans l'appartement.

— Canaille ! bandit ! voleur ! rugissait-il à mi-voix.

Ses pas martelaient le parquet ciré et résonnaient fortement dans la grande pièce.

— Le misérable ! Céder ? Jamais !

Un instant, il s'arrêta près de la fenêtre ouverte et scruta les ténèbres, cherchant à apercevoir Valmont qui s'éloignait vers le pavillon.

— Oh !...

Alors, sous une pensée de rage exaltée qui surgissait en lui, Roger quitta en courant la salle de billard et se lança sur les traces de son cousin.

III

ENVOLÉ !

A menus pas précipités, Mme Croixmare s'empressait :

— Vite, Baptiste, déroulez ces tapis. Et vous, Annette, courez chercher les fleurs... des roses rouges... rien que des rouges, surtout ; le jardinier est prévenu...

Annette partit en courant pendant que Brigitte, la vieille servante, depuis quarante ans dans la maison, versait délicatement l'eau dans les vases préparés.

Depuis six heures du matin, tous les habitants du château, maîtresse et serviteurs, étaient sur les dents. L'arrivée d'Eliane de Surtot, la fiancée de Roger Croixmare, révolutionnait chacun.

En disposant dans les cols élancés des amphores les grosses roses aux couleurs éclatantes qu'Annette venait d'apporter, la vieille dame expliquait, le visage rayonnant de plaisir :

— Il faut qu'Eliane trouve la maison en fête... Les fleurs sont le sourire des appartements ! C'est à dix heures que le train arrive... La chère mignonne ! Une grande et belle fille, vous allez voir, Brigitte ! Et des cheveux blonds... si soyeux !

32

Des yeux bleus... si doux! Mon Roger sera bien heureux...

Contente du bonheur de ses maîtres, la vieille fille souriait et, de la tête, approuvait, tout émue.

— Il tombe de l'eau! cria tout à coup Baptiste, en rentrant précipitamment dans le salon tous les coussins de tapisserie précieusement sortis sur le perron pour y être battus et brossés avec soin.

— De l'eau! fit Brigitte, navrée.

— De l'eau, répéta Mᵐᵉ Croixmare, un peu désenchantée... Quelle malchance!

Mais, surmontant vite ce petit désappointement, elle donnait déjà des ordres en conséquence.

— Il faut prévenir Clément d'atteler l'omnibus et non la victoria... Dites à Pierre de porter au pavillon un parapluie pour M. Jean... ou plutôt, non, qu'on prévienne M. Valmont de ne pas se déranger pour venir ici... La voiture fera un détour et ira le prendre là-bas...

La matinée s'écoula vite. Neuf heures et demie sonnèrent sur les derniers préparatifs.

Mᵐᵉ Croixmare venait de monter à sa chambre et Roger achevait sa minutieuse toilette, quand le grincement des roues et le trot des chevaux se firent entendre sur le gravier des allées. La voiture venait se ranger, devant le perron principal, aux ordres de monsieur.

Justement, le petit Pierre revenait du pavillon.

A son arrivée, il y eut un bruit de voix et comme des exclamations de surprise.

Mᵐᵉ Croixmare perçut le bruit des explications qui s'entrecroisaient et elle se pencha par la fenêtre de sa chambre.

Impeccables sur leurs sièges, malgré l'averse, le

33

cocher et le valet de pied causaient, très animés, avec le gamin.

— Qu'y a-t-il, Clément ? interrogea la vieille dame.

Le cocher leva la tête.

— C'est le petit Pierre, madame... rapport à M. Valmont. Il dit qu'il n'a trouvé personne au pavillon.

— Comment, personne ?

— Sûrement qu'il n'y avait personne, confirma l'enfant.

— M. Jean était sorti... mais il sera mouillé ! s'écria la tante, déjà inquiète.

Pierre hocha la tête.

— Je ne crois pas non plus qu'il soit sorti ce matin, fit-il.

— Comment cela ?

— Dame... M. Jean n'a pas dû coucher au pavillon, madame.

Il s'arrêta, se gratta la tête, embarrassé, ne sachant pas s'il devait achever.

Mais Mme Croixmare l'interrogeait, toute surprise.

— Voyons, Pierre, qu'est-ce qu'il y a ? Pourquoi dis-tu que M. Jean n'a pas dû coucher au pavillon ?

— Parce que sa chambre... son lit n'était pas défait, madame. Je l'ai appelé longtemps et, comme il ne répondait pas, je suis allé voir. On avait laissé la clef sur la porte, hier soir, pour qu'il pût entrer. Ce matin, elle y était encore... Alors, j'ai pu monter.

— Tu es monté, et ?...

— Et les pièces étaient vides... même que je suis sûr que personne n'est venu dans la chambre depuis que Mme Brigitte l'a faite hier soir.

— Ce n'est pas possible, voyons ! Tu as mal vu ?

— Non, bien sûr... C'est moi qui ai apporté les bûches pour le feu et aussi l'eau pour le cabinet de toilette... J'ai bien remarqué tout... Ce matin, c'était comme hier ; il n'y avait rien de changé.

— Qu'est-ce que cela veut dire ? C'est invraisemblable, tout cela.

Très troublée, la vieille dame réfléchissait.

« Pourquoi Jean n'était-il pas au pavillon, ce matin-là ?... Et si vraiment le jeune homme n'y avait pas couché ?... Quelle aventure se cachait sous cette absence inexplicable ? » Le neveu était si volage que la tante osait tout supposer... Pourtant, jusqu'ici, Jean n'avait guère fait de grosses bêtises aux Houx-Noirs. Quand il venait passer quelques jours au château, c'était pour se reposer et y vivre sagement.

Elle songea tout à coup que Roger, peut-être, la renseignerait.

Cela la soulagea subitement de son oppression.

« Quels tourments il me donne, ce grand enfant ! pensa-t-elle, souriant de sa facilité à s'inquiéter d'un rien. Jean ne sera jamais raisonnable ; mais, cette fois, s'il a fait quelque grosse bêtise, je le tancerai d'importance. A son âge, ce n'est plus permis ! »

Graves et silencieux, les domestiques la regardaient, attendant qu'elle décidât quelque chose ou expliquât ce que leurs cervelles un peu épaisses n'arrivaient point à comprendre.

Elle sourit, les rassurant de son mieux.

— Ne vous inquiétez pas, mes braves... M. Roger doit savoir... Peut-être même son cousin a-t-il passé la nuit avec lui... Au milieu de tous ces

travaux, je n'ai pas encore vu mon fils ce matin...
mais je vais voir...

Quand elle se fut retirée de la fenêtre, le cocher
hocha la tête :

— Le pavillon est mal situé, fit-il, lentement.

— Oui, c'est trop éloigné, acquiesça le valet.

— Et puis, c'est si près de...

Il acheva sa phrase par un regard de terreur
superstitieuse qui voulait en dire long.

L'autre approuva :

— Oui, c'est un mauvais lieu... il n'y a que du
malheur à attraper par là...

— Il y a longtemps qu'on aurait dû faire combler
tout ça, reprit le cocher, seulement M. Roger s'en
moque... il dit que ce sont des histoires... des
légendes, pour faire peur aux petits enfants.

Le valet haussa les épaules.

— Mon grand-père y croyait, et ce n'était pourtant pas un poltron, remarqua-t-il sentencieuse-
ment.

— Sûr ! Mais ceux d'aujourd'hui se croient plus
malins que les anciens.

Pendant que ces quelques répliques s'échangeaient, Mme Croixmare avait gagné l'appartement
de son fils.

— Roger, sais-tu où est ton cousin ? lui
demanda-t-elle, dès qu'elle aperçut le jeune
homme.

Celui-ci tourna vers sa mère un visage fatigué et
tourmenté.

Il avait dû mal dormir. Sans doute, la discussion
de la veille au soir, ou, peut-être, la pensée de
l'arrivée prochaine de sa fiancée, avaient-elles
troublé son sommeil.

A la question inquiète de sa mère, une hésitation se peignit sur ses traits.

— Pourquoi ? fit-il.

— Parce qu'il devait aller, avec toi, à la gare, au-devant d'Eliane... L'heure est sonnée et il n'est pas là.

— Bah ! Il ne viendra pas, voilà tout...

— Il ne viendra pas ?

— Non... il est reparti.

— Parti ?

— Oui, nous nous sommes un peu disputés, hier soir.

— Comment cela ?

Très vite, comme s'il avait hâte d'en finir avec cette question, il expliqua :

— Il voulait encore de l'argent... une grosse somme : cent mille francs... j'ai refusé... je lui ai parlé carrément... il s'est fâché. Je crois que nous ne le reverrons plus.

— Et il est parti cette nuit ? insista Mme Croix-mare qui n'en revenait pas.

— Oui... cette nuit...

— Il aurait pu attendre le jour... me dire au revoir, tout au moins...

— Oui, il aurait dû assurément ! mais tu sais comment il est !... Enfin, n'en parlons plus, veux-tu, mère ? Sa présence n'est pas indispensable.

— Non, sans doute...

Elle ajouta pensivement, sa voix très douce marquant de l'indulgence :

— Ce pauvre Jean a toujours des ennuis d'argent. Comme il a eu l'existence difficile jusqu'ici !

Et, levant les yeux sur Roger qui détournait la tête, elle dit encore avant de s'en aller :

— J'espère que tu n'as pas été trop dur, n'est-ce pas ?

Le jeune châtelain eut le mouvement sec d'un homme qu'on importune.

Mme Croixmare n'insista pas. Elle réprima un soupir de compassion et, ce signe de pitié donné à l'adresse de Jean, elle s'éloigna, le cœur tranquille, achever sa toilette.

IV

UNE HISTOIRE DU BON VIEUX TEMPS

— Alors, monsieur Etienne, il y a longtemps que vous êtes aux Houx-Noirs ?

Toute mignonne dans sa robe claire et sous son grand chapeau de tulle semé de larges pâquerettes, les bras chargés de fleurs qu'elle venait de cueillir, Eliane interrogeait le vieux jardinier.

Celui-ci hocha sa tête grise.

— Dame ! mademoiselle, pensez donc que M. Roger n'était pas encore né quand je suis entré. Ça fait quelque chose comme trente-quatre ans que je n'ai pas bougé d'ici.

Elle eut un sourire qui félicitait.

— A la bonne heure ! Vous n'aimez pas changer de maîtres, vous... et vous devez savoir les satisfaire !

Un naïf orgueil brilla dans les yeux du vieux serviteur.

— Je fais mon possible pour ça... Quand mon ouvrage est proprement travaillé, tout le monde est content... moi le tout premier ! Faut dire aussi qu'avant d'entrer au château comme jardinier j'étais censément de la maison. Mon père et mon grand-père ont été au service des parents de

M. Roger jusqu'à leur mort... Ça fait quelque chose, quand on pense à ça...

L'homme regardait fixement dans le vague, comme si ses parents évoqués, et les souvenirs qu'ils rappelaient, eussent défilé devant lui.

— Le père était berger et l'aïeul l'avait précédé... Tous deux avaient fait quasiment partie du mobilier de la ferme. On avait l'habitude de les voir là, de compter sur eux ; on n'aurait point voulu s'occuper du nombre des brebis, ni des agneaux qui naissaient... On savait que le berger était là aux intérêts du maître, on le laissait faire, il s'y entendait : son troupeau était son orgueil !... Les maîtres avaient raison : jamais ils n'ont été déçus...

Contente qu'on évoquât devant elle un peu du passé de la famille Croixmare qui bientôt serait la sienne, la jeune fille écoutait, attentive, les réflexions du serviteur.

Pour mieux l'entendre, elle s'était assise commodément sur le bord de la pelouse et, les fleurs déposées à ses pieds, devant elle, les coudes aux genoux, le menton dans les mains, les yeux levés vers l'homme, elle laissait celui-ci parler sans l'interrompre.

— Tout petit, j'ai été nourri avec le lait des vaches du château ; plus tard, j'ai partagé les repas des domestiques, au côté de mon père... Il n'y a que durant les premières années de mon mariage, — alors que j'essayais de vivoter sur un coin de terre, avec mes beaux-parents — que j'ai cessé de manger le pain d'ici... A part ça, ma vie s'est écoulée aux Houx-Noirs.

Comme il se taisait, Eliane demanda :

— Ainsi, vous avez connu le père de M. Roger ?

— Oui, bien sûr !... et aussi son grand-père. Je

me souviens même de l'autre aïeul, le père de ce dernier, le fier colonel des gardes... Mais j'étais encore trop jeune et je ne me rappelle de lui que sa grande taille, sa voix sonore et son brillant uniforme... avec le plumet hardi qui surmontait son shako, il atteignait sûrement plus de deux mètres... Mademoiselle pourra regarder dans le grand salon du château, il y a son portrait en pied.

— Oui, j'ai vu, fit-elle... Il avait une fière allure ! Ce devait être un rude soldat.

— Oh ! oui-da ! mon père en parlait souvent. Le vieux Jérôme — mon aïeul et mon parrain — avait fait avec lui plus d'une campagne... C'est seulement après avoir été blessé qu'il était devenu berger ; auparavant, il bataillait sous les ordres du colonel.

Le jardinier baissa la voix et étendit le bras dans la direction des gros sapins noirs qu'on apercevait à l'autre extrémité du parc.

— Même qu'il était à ses côtés, le jour de la tuerie, là-bas...

Sa voix avait été si basse et si grave qu'Eliane frissonna. Elle devinait quelque sombre drame, que le mot « tuerie » employé par le serviteur marquait d'une tache plus sanglante encore.

— Racontez-moi cela, monsieur Etienne, fit-elle avec une curiosité brave qui se teintait de terreur.

L'homme ne répondit pas tout de suite ; puis, il hocha de nouveau la tête :

— Ce ne sont pas des histoires bien gaies à raconter, dit-il. Ça assombrirait trop une jeunesse comme vous, si gaie et si heureuse... M. Roger ne serait peut-être point content...

Mais elle insista :

— Si, si, monsieur Etienne ; il faut tout me dire... Je dois connaître l'histoire de notre maison... En apprendre un peu par un témoin oculaire, cela nuance joliment l'intérêt.

Le vieux sourit, flatté intérieurement de l'attention qu'il éveillait.

— Témoin ? fit-il. Je ne peux pas dire que je l'aie été, vu que mon aïeul était déjà très vieux quand il en parlait, et que ça lui était arrivé dans son jeune temps... mais pour connaître à fond et mieux que moi cette histoire-là, bien sûr qu'il n'y en a pas un dans la contrée... sauf M. Roger, qui sait tout, évidemment !

— Et alors ?... Il s'est passé quelque chose, là-bas, disiez-vous ?

— Oui, tout dans le fond du parc, au milieu des sapins... juste à la petite clairière où il y a un vieux puits, tenez...

— Et cette tuerie ?... Qu'est-ce que c'était au juste ?

— Voilà. C'était en 18..., lors de la grande invasion, quand tous les soldats des pays étrangers se promenaient chez nous comme chez eux... Le colonel Croixmare défendait le pays de son mieux... C'était point l'énergie ni le dévouement de ses hommes qui manquaient, sûrement ! Mais les autres étaient si nombreux, qu'au fur et à mesure qu'on les repoussait il en arrivait de nouveaux.

« Et ça durait ainsi depuis trois semaines, si bien qu'on se demandait comment ça finirait !

« Enfin, un jour, il y eut une grande bataille sur le plateau qui domine le pays... vous savez, de l'autre côté du ruisseau, en passant par le chemin, derrière l'église... »

— Oui, oui ! mais l'affaire de là-bas ?

— Eh bien, c'était le soir même de ce jour-là. Le colonel avait dû reculer... l'ennemi était trop nombreux... tous ses hommes étaient dispersés.

« C'était la déroute complète.

« Avec mon aïeul et quelques soldats, le colonel revenait, pas bien gai, et rageur comme vous le pensez.

« Il s'était replié sur le bois dont il connaissait tous les moindres recoins... Son intention était de laisser reposer ses hommes, puis de rallier tous les disparus et de reformer sa petite troupe.

« Il fit donc camper, là-bas, comptant ainsi tromper la surveillance des ennemis, qui le supposeraient partout, sauf si près de chez lui.

« En même temps, ça lui permettait de ravitailler ses gens.

« Le château, prévenu, envoya, en effet, des vivres en grande quantité et tout le monde, esquinté et fourbu d'une pareille journée, se mit à dormir sur l'herbe aussi profondément que si chacun avait été dans son lit.

« Mais voilà que, pendant leur sommeil, une vingtaine de mécréants tombent sur eux à l'improviste.

« Quel réveil !

« Nos hommes se saisissent de leurs armes et frappent à droite et à gauche.

« Les fusils partent seuls, tellement chacun est furieux ; les épées sont rouges ; le sang coule de tous côtés ; on n'entend que le cri des blessés et le râle des mourants...

« Enfin, nos hommes restent vainqueurs. Il y avait douze ennemis, sans vie, sur l'herbe ; les autres s'étaient enfuis, épouvantés.

« Il y avait aussi, malheureusement, quelques morts de notre côté, et ceux qui restaient n'étaient pas tous valides... chacun était plus ou moins blessé... Le colonel avait reçu un coup d'épée à l'épaule et mon aïeul une balle dans la cuisse. Tout de même, d'avoir mis les autres en déroute, nos hommes étaient contents.

« Cependant, le colonel réfléchit. La soudaineté de l'attaque l'étonne. Il se dit que ce n'est pas naturel.

« — Nous avons été trahis ! fait-il.

« Les hommes partagent son avis sans hésiter.

« En même temps, ils remarquent un soldat qui se traîne dans l'ombre, hors du camp, et qui a l'air de vouloir s'écarter sans être vu.

« Le colonel l'interpelle.

« Dix mains l'empoignent et l'amènent devant le chef.

« Celui-ci l'interroge :

« — Pourquoi te sauvais-tu ? Que crains-tu ?

« Il lui fait remarquer qu'il n'est pas blessé et que ses effets sont intacts... pas même souillés de sang ni de boue !

« — Regarde tes compagnons et compare ?... Tu ne t'es donc pas battu comme les autres !

« Le soldat se trouble. Il balbutie. Son attitude achève d'éveiller la méfiance du colonel, qui le fait fouiller... »

— Ah ! fit Eliane, violemment intéressée.

Sans se presser, le bonhomme continuait son récit, une seconde interrompu :

— Les soldats obéissent... ils retournent les poches du fuyard... Ils tâtent ses habits... et ils trouvent... Vous ne devineriez jamais, mademoiselle ?

44

— Non, bien sûr ! Dites-le.

— Une bourse pleine d'or ! Comme c'était un homme pauvre et qu'une pareille somme n'était pas naturelle sur lui, tout le monde a compris du premier coup.

« — Traître ! Bandit ! qu'ils criaient tous.

« Lorsqu'il s'est vu découvert, le misérable s'est jeté aux genoux du colonel. Il l'implorait et le suppliait, mais le colonel était furieux. Le sang des soldats morts et blessés criait vengeance.

« — Infâme ! disait-il. Tu as vendu tes frères.

« — A mort ! à mort ! hurlaient les autres.

« Oh ! son jugement ne fut pas long.

« — Je vous l'abandonne, mes amis, dit le colonel aux soldats. Vengez nos morts !

« — Il ne doit pas mourir en soldat ! fit un sergent. L'épée et le plomb seraient souillés de toucher une pareille vermine.

« — Pendons-le ! dit une voix.

« — Jetons-le tout vivant au fond du puits ! cria un jeune homme, dont le frère avait été tué dans l'échauffourée de la nuit.

« Et ce fut l'avis de tous.

« — Oui, au fond du puits, le traître ! approuvèrent-ils.

« En un clin d'œil, l'homme fut saisi, ligoté pour qu'il ne pût se raccrocher à l'espoir d'une évasion, et précipité dans le trou profond. »

— Oh ! ciel ! balbutia Eliane, frissonnante de terreur. Ils l'ont jeté tout vivant.

— Et ce n'était que de la bonne justice ! répliqua le jardinier. Cet homme n'avait qu'une âme de chien... il est mort en chien !

V

LÉGENDES ET SUPERSTITIONS

Pendant quelques instants, les deux interlocuteurs gardèrent le silence.

Le vieux jardinier, appuyé sur le manche de sa bêche et dodelinant de la tête, revivait en pensée les récits de l'aïeul depuis longtemps disparu, et Eliane, toute pensive, le front grave et les yeux encore agrandis d'angoisse, regardait au loin les grands sapins sombres aux troncs imposants, séculaires témoins de la scène tragique.

Ce fut elle qui rompit la première le silence :

— Est-ce qu'il y est encore... dans le puits ? murmura-t-elle, la voix mal affermie, son effroi pas encore passé.

En même temps, elle désignait du doigt le fond du parc.

Le vieillard se mit à rire :

— Oh ! il y a si longtemps, qu'il ne doit pas en rester grand-chose.

— Cependant... le squelette ?

— Le père de M. Roger a fait jeter dans le fond une douzaine de tombereaux de terre.

Elle soupira, comme soulagée :

— Le puits est comblé, alors ?

— Non, pas tout à fait. Le puits était trop profond. Certains parlent de trois cents pieds.

— Tant que ça ?

— Oui, on affirme qu'il descendait autrefois jusqu'au niveau de la petite source qui coule dans la vallée. Ça faisait une belle hauteur, vous voyez.

— En effet.

Elle réfléchit, puis fit observer :

— Pourquoi M. Croixmare fit-il jeter de la terre dans le puits, s'il ne comptait pas le combler tout à fait ?

— Pour complaire à chacun... à cause de la légende, paraît-il.

Elle ouvrit de grands yeux.

— Il y a une légende ?... Quelle légende ?

— Ah ! voilà !

— Dites-la-moi. Qu'est-ce qui lui a donné naissance ?

— Dame... Comme vous le pensez bien, la mort de ce traître a été approuvée par tout le pays... Chacun citait son nom avec haine ou avec terreur... Aussi, les racontars allaient bon train.

— Que disait-on ?

— Bien des choses... On disait que pour avoir trahi ses frères, fallait qu'il fût possédé du démon !... Bien sûr que c'était un païen et un hérétique pour commettre un tel crime ! L'endroit où reposait son corps est devenu un lieu maudit.

— Ah ! le vieux puits ?

— Le vieux puits n'a pas bonne réputation dans la contrée. Les gens s'en écartent soigneusement et on n'aime pas passer à côté, la nuit venue.

— Rien, cependant, ne donne raison à toutes ces craintes ?

— Heu ! sait-on jamais ?

Elle insista :

— Voyons, que dit-on au juste ?

Il baissa la voix et lentement expliqua :

— Il y en a qui disent avoir aperçu le spectre du traître rôder sous les sapins... Le soir, ils ont entendu ses gémissements et ses sanglots... Paraît aussi que les âmes des soldats morts la fameuse nuit s'en reviennent errer autour du vieux puits pour empêcher l'autre de sortir... Un bûcheron qui a fait, une fois, une coupe de bois, de ce côté-là, a vu courir dans les arbres trois grands fantômes avec de longs voiles blancs... Il en a été malade de peur pendant trois jours et quand il s'est trouvé guéri, il a dit qu'il aimait mieux mourir de faim que de retourner travailler dans cet endroit-là.

« Pour les enfants, le vieux puits est la demeure de Croquemitaine, mais pour les grandes personnes, c'est le refuge de toutes les mauvaises âmes. la croyance populaire veut que non seulement l'âme du traître y soit enfermée, mais aussi toutes celles qui ont trahi l'amitié ou l'amour. »

Eliane sourit.

— La légende est jolie, bien qu'un peu effrayante. Heureusement, tout ça ce sont des racontars de bonne femme... Vous n'y croyez pas, vous, monsieur Etienne ?

Le jardinier marqua une longue hésitation :

— Oui et non, dit-il enfin. Les mânes d'un traître ne doivent pas porter bonheur, sûrement !... elles en appellent d'autres, même, c'est probable. J'aimerais pas m'attarder trop longtemps sous les sapins... On a beau avoir la conscience tranquille, il ne faut pas jouer avec ces choses-là.

La jeune fille, plantant son clair regard dans les

prunelles grises qui clignotaient, examina curieusement le bonhomme.

Sa simplicité l'étonnait un peu.

« Comment un homme de cet âge peut-il croire
encore à ces histoires de fantômes ? » pensa-t-elle.

Puis, très brave, en jeune personne très raisonnable qui ne croit pas aux revenants, elle déclara :

— Il faudra que j'aille le voir de près, ce vieux
puits.

— Oh ! pourquoi ? interrogea-t-il étonné.

— Dame ! c'est curieux, tout ce qui s'est passé à
l'entour...

— Pas bien gai, quand on y songe.

— Non, mais c'est tout un passé à évoquer ! J'ai
hâte de voir ces lieux légendaires et de reconstituer, par la pensée, le sombre drame dont ils ont
été les témoins.

L'homme hocha sa vieille tête parcheminée. Il
n'approuvait pas ce qu'il considérait comme une
inutile témérité.

— On ne sait jamais... A quoi bon vous attirer
peut-être de l'ennui ?

— Mais je ne crains rien, moi ! fit-elle remarquer, amusée.

— Alors, restez dans votre joie de maintenant,
mademoiselle... vous êtes dans un moment heureux comme on n'en trouve pas souvent dans
l'existence.

Un éclair de joie brilla dans les yeux bleus de
l'enfant.

— Mon fiancé m'accompagnera, fit-elle. Tous
les deux, nous défierons tous les maléfices des
âmes vagabondes !

Il ne répondit rien, n'osant pas dire tout haut

combien il la blâmait de parler si légèrement d'un lieu considéré, par tous, comme maudit.

Et, silencieusement, il se remit au travail.

Eliane se leva et étira ses membres raidis par sa longue immobilité.

— Ouf !... Je me sauve ! On doit attendre mes fleurs, là-bas.

Elle ramassa soigneusement son bouquet, redressa quelques tiges qui baissaient déjà piteusement leurs têtes. Et, légère, heureuse de se sentir vivre après le récit de mort qui l'avait impressionnée, contente aussi maintenant de pouvoir dire à Roger qu'elle connaissait une page intéressante de l'histoire des siens, elle s'envola légère et mutine, après un bon « merci » et un amical « au revoir » au vieux jardinier, qui la suivit indulgemment des yeux.

VI

ELLE ET LUI

— Comme vous voilà fraîche et rose, petite Eliane !

La jeune fille s'arrêta devant Roger qui parlait et, d'un air espiègle, lui fit une profonde révérence.

— Comme vous voilà grave et morose, monsieur mon fiancé, répondit-elle en imitant l'air sérieux avec lequel le jeune homme l'avait interpellée.

Le visage de l'autre s'épanouit aussitôt. En présence de sa fiancée, Roger s'efforçait de paraître très gai.

C'était bien assez que chacun remarquât combien, depuis quelque temps, le maître semblait soucieux, par moments, sans que la chère petite fît la même observation !

— Je m'ennuyais loin de vous, Eliane, répondit-il avec beaucoup de tendresse dans la voix. Voici un quart d'heure que j'erre dans le parc, vous cherchant partout.

En même temps, il passait amoureusement son bras sous celui de la jeune fille.

— Je suis allée dans le jardin cueillir des fleurs, expliqua-t-elle.

— Vous avez fait une belle moisson ?

— Une hécatombe !... mais le jardinier m'a aidée.

— Jérôme ? questionna-t-il.

— Non, Etienne.

Elle ajouta, pour excuser sa longue absence :

— Nous avons bavardé tous les deux, c'est ça qui m'a mise en retard.

— Que vous a donc dit d'intéressant ce vieux fou ?

Elle eut un léger frisson en se rappelant le sombre récit du bonhomme.

— Il m'a évoqué un peu du passé de votre famille... Il m'a parlé de vos parents et de votre grand-père...

— Pas bien amusant, ces sujets...

— Si, beaucoup... Parler d'eux, c'était parler de vous, fit-elle gentiment en pressant le bras de Roger contre elle.

— Quelle enfant ! dit-il, railleur, mais pourtant flatté au fond.

Elle continua :

— Je connais aussi maintenant l'histoire du vieux puits et la légende qui s'y rattache...

Elle levait les yeux sur lui, cherchant dans son regard un tendre merci pour l'intérêt qu'elle prenait à ces souvenirs de famille, mais elle fut singulièrement déçue.

Sur le visage habituellement calme de Roger, de l'effroi avait passé. Les traits instantanément bouleversés, les lèvres blêmes, le jeune homme s'était brusquement dégagé de l'étreinte d'Eliane.

— Quel besoin cet animal avait-il d'aller vous raconter cela ! s'écria-t-il presque brutalement.

Interdite, la jeune fille balbutia :

— C'était donc mal !

Il vit dans les grands yeux étonnés levés sur lui toute la surprise que sa violence inspirait et il eut peur de l'interprétation que sa fiancée pouvait donner à son attitude.

Faisant un effort sur lui-même pour se ressaisir, il répliqua, cherchant à donner le change :

— Non, ce n'était pas mal... mais ces histoires de meurtre et de sang ne peuvent que vous impressionner.

— Mais non.

— Si, si, les récits de guerre sont toujours cruels et tout ce qui s'y rattache en est comme endeuillé... Si vous alliez moins aimer les Houx-Noirs à présent que vous connaissez le sombre drame qui s'y est passé !

— Oh ! pas de danger ! s'écria chaleureusement la jeune fille. Je suis une vraie descendante d'Alphonse de Surtot, moi ! et les récits de loyaux combats ne me font pas pâmer d'émoi, je vous assure !... On avait surnommé mon aïeul, l'*Indomptable Paladin,* et il y a dans notre blason deux lions, signes de force et de courage.

Sa voix vibrait fièrement en disant ces mots.

Eliane était bien la digne descendante, sans peur et sans faiblesse, de cet Alphonse de Surtot qu'elle évoquait, et Roger, qui la contemplait, s'effrayait un peu de cette énergie et de cette force qu'elle révélait incidemment.

« Si elle plaçait si haut dans son admiration la bravoure et la loyauté, de quel mépris, en revanche, devait-elle couvrir la lâcheté et la trahison ? » se disait-il avec une secrète terreur.

Et plus pâle encore, il baissait la tête, comme si,

dans son passé, un point sombre avait terni à jamais l'héritage d'honneur légué par ses ancêtres.

Tout à ce qu'elle disait, Eliane ne remarquait plus l'attitude abattue de son fiancé et c'est plus doucement qu'elle reprit, en se rapprochant de lui :

— Vous voyez bien, Roger, que vous n'avez pas de puérile faiblesse à craindre de moi... Je suis déjà, par le cœur, de votre race... J'aimais les Houx-Noirs parce que ce domaine était le berceau de votre famille, je les aimerai doublement, et avec orgueil à présent, par tout ce qu'ils peuvent me rappeler...

Trop troublé pour répondre, Roger se contenta de porter à ses lèvres les petits doigts d'Eliane, qu'en parlant elle avait posés sur sa main.

Ils firent quelques pas en silence, puis la jeune fille, qui poursuivait son idée, remarqua, toute souriante :

— Comme il vous est dévoué, le père Etienne ! Si vous saviez avec quel attachement il parle de vous et des vôtres !

— C'est un brave homme, répondit Roger. Malheureusement, il se fait vieux et il commence à radoter.

— Oh ! pas trop !... Pourtant...

Elle se mit à rire de bon cœur et poursuivit :

— Croiriez-vous qu'il ajoute foi à la légende qu'on fait courir sur le vieux puits.

— Ce bonhomme est toqué ! fit Roger, dont le visage ne se rasérénait pas, mais qui s'efforçait de prendre le ton enjoué de sa compagne.

Celle-ci repartit d'un nouvel éclat de rire.

— Je lui ai dit que j'irai me promener sous les sapins et rendre visite aux fantômes qui les peuplent... Oh ! j'ai bien ri !... Imaginez-vous qu'il cherchait à me détourner de ce projet !

Roger avait encore tressailli aux paroles d'Eliane.

— Etienne a raison, dit-il brusquement.

— Pourquoi ? fit la jeune fille, étonnée.

— Parce que... quel plaisir pouvez-vous trouver dans une pareille promenade ?

— D'abord, je veux connaître tous les coins des Houx-Noirs... Ensuite...

— Ensuite ?

— C'est un pèlerinage que je veux faire, je dois bien ça aux anciens soldats de votre aïeul.

— Mais ils ne sont pas enterrés en cet endroit.

— Sans doute.

— Alors ?... je ne vous comprends plus !

— Ils y sont morts glorieusement ! fit Eliane, très grave. Croyez-vous que cela ne soit pas suffisant ?

— Bah !... Je vous dispense de cette corvée.

— Mais ce n'est pas une corvée, répliqua l'intrépide enfant.

— Vous ne voulez pas dire que cela soit pour vous un plaisir, pourtant ! remarqua Croixmare, qui s'énervait un peu.

— Non, évidemment ! répondit la jeune fille, un peu interloquée. Ce n'est pas avec une idée de plaisir que je parle de cette visite au vieux puits. Et pourtant ce n'est pas avec déplaisir que je la ferai... Mettez que cela soit une curiosité naturelle.

— Une curiosité... un peu macabre, alors ! dit Roger en haussant légèrement les épaules.

Eliane rougit sous le blâme évident que contenait la réflexion du jeune homme.

— Je pensais que vous auriez trouvé mon désir

de connaître cet endroit très naturel et très légitime, fit-elle avec une certaine hauteur. Mais puisque vous le blâmez et semblez le considérer comme une indiscrétion, je n'insiste plus.

— Loin de moi pareille pensée, ma chère Eliane ! s'écria Roger, subitement souple comme un gant. Si je vous dissuadais de donner suite à votre idée, c'est que le vieux puits est situé dans un lieu humide et très malsain.

— Comme je n'y séjournerai pas, vous pouvez être rassuré, monsieur mon fiancé, fit-elle avec une inflexion de voix très douce.

Déjà, elle regrettait son mouvement d'orgueil de l'instant d'avant, elle se faisait très aimable auprès de Roger pour en effacer jusqu'à l'impression.

— Faites donc comme vous l'avez décidé, consentit enfin celui-ci.

— Et vous m'accompagnerez ? demanda tendrement Eliane en se penchant vers lui.

Il sursauta :

— Vous accompagner ?

— Oui, dit-elle, pressante. Cela me ferait plaisir... Vous m'expliqueriez...

Il eut un geste de recul.

— Ah ! non, merci !

— Vous me refusez ! Pourquoi ?

— Je... je suis très occupé, ma chère Eliane... des fermiers doivent encore venir me trouver cet après-midi.

— Mais j'attendrai à demain... à après-demain, s'il le faut. Quand vous voudrez, enfin !

— Non, je ne veux pas mettre votre patience à l'épreuve... Je prierai ma mère de vous servir de cicerone.

— Votre mère, ce ne sera pas vous... fit la jeune

fille d'un air mutin, en lançant un joli regard vers celui qui serait bientôt son mari.

— C'est gentil, chère petite fiancée, ce que vous dites là et je regrette vraiment de ne pouvoir vous satisfaire.

— Vous ne voulez pas ?

— Je ne puis... des fermiers à recevoir... des créances importantes à recouvrer... des fournisseurs à voir... Si vous saviez combien d'occupations multiples se dressent devant moi, en ce moment !

Elle se mit à rire moqueusement.

— Oh ! je m'en aperçois depuis six jours que je suis ici ! s'écria-t-elle gaiement. Vous êtes si occupé que vous ne faites rien du matin au soir... Vous ne me quittez pas un instant !

— Parce que vous m'ensorcelez, petite sirène jolie ! fit Roger en riant aussi. Je ne puis pas arriver à me convaincre qu'il est indispensable parfois que je m'éloigne de vous.

Elle leva sur lui un regard brillant où toute sa coquetterie se lisait.

— Essayez encore aujourd'hui d'oublier ces ennuyeuses affaires et venez avec moi au vieux puits, cet après-midi, lui demanda-t-elle à nouveau d'une voix irrésistible.

— Non, vraiment, je ne puis pas, répondit-il en détournant les yeux, un peu gêné de résister à un si pressant appel.

Eliane fronça légèrement le sourcil, puis elle examina Roger avec surprise. A la fin, elle éclata de rire.

— Oh non ! s'écria-t-elle. Ce serait trop drôle !

— Qu'est-ce qui serait drôle ? dit Roger, mal à l'aise.

— La pensée qui vient de me traverser l'esprit, répondit franchement la jeune fille.

— Quelque espiègle réflexion ?

— Justement... Il m'a semblé tout à coup... oh ! ne vous fâchez pas, c'est si drôle !

— Quoi encore ?

— On dirait que, vous aussi, vous croyez à la légende du vieux puits et que vous avez peur !

Roger essaya de rire, mais sa gaieté manquait de franchise et sonnait faux à côté du ton enjoué de sa fiancée.

— Quel enfantillage ! fit-il avec un sourire indulgent. Suis-je de taille à avoir peur d'un fantôme ?

— Pas précisément !...

Elle riait toujours ; mais, comme elle remarquait l'air contraint du jeune homme, elle redevint sérieuse.

— Pardonnez-moi, Roger, fit-elle en lui tendant la main d'un air contrit. C'est une plaisanterie que votre insistance à me détourner du vieux puits et votre refus de m'y accompagner rendaient opportune sinon justifiée... Dites-moi que vous ne m'en voulez pas de ma malicieuse réflexion ?

— Oh ! pas le moins du monde ! répondit le jeune homme en pressant avec force la petite main qui s'abandonnait.

Ils firent quelques pas en silence, puis Roger, qui cherchait à faire plaisir à sa compagne, bien que cela lui coûtât, reprit la parole sur un ton de badinage :

— Il faut cependant que je la punisse, cette petite fiancée taquine !

— Diable ! s'écria Eliane sur le même ton enjoué. Que me réservez-vous, Roger ?

— Un châtiment terrible, fit-il en souriant.

— Je tremble !

— Préparez-vous à être très courageuse.

— Hélas !... d'avance je suis pâle de frayeur !

Et gamine, avançant sa petite tête ébouriffée vers lui, comme pour le défier, elle demanda :

— Eh bien, féroce fiancé, à quoi me condamnez-vous ?

— A subir mon encombrante personne cet après-midi, durant votre excursion au vieux puits.

Elle se redressa, toute joyeuse.

— Vrai !... Oh ! c'est gentil !... Vous êtes délicieux, Roger !

Sans réfléchir, dans la spontanéité de sa joie, elle se haussa jusqu'au visage du jeune homme et, de ses lèvres, lui effleura la joue.

Mais, s'apercevant soudain de tout ce que son geste avait d'inconvenant, malgré leurs liens étroits de fiancés, elle rougit violemment et, pour cacher sa confusion, elle se sauva dans la direction du château.

VII

LE VIEUX PUITS

— Quelle impatience et quelle hâte ! Ne vous pressez donc pas tant, petite Eliane.

Roger, qui avait le bras passé sous celui de la jeune fille, essayait de retenir celle-ci auprès de lui.

Un éclat de rire fusa sous les grands arbres et, mutine, l'enfant se dégagea.

— Vous piétinez sur place, Roger ! Comment, avec de si grandes jambes, pouvez-vous aller aussi lentement ?

Il répondit, doucement railleur :

— Je perds mon temps à vouloir résoudre le problème contraire : comment, avec d'aussi petits petons, pouvez-vous faire de pareilles enjambées ?

Elle allait riposter sur le même ton enjoué, quand, brusquement, elle s'arrêta, les yeux émerveillés.

— Oh ! fit-elle en joignant les mains.

Ils étaient arrivés au bout de leur course et devant eux s'étendait la clairière humide que cernaient les grands sapins noirs.

Dans le fond, à moitié écroulé et presque caché sous une abondante végétation de lierre et d'herbes folles, se dressait le vieux puits aux pierres branlantes dont le jardinier avait parlé.

— C'est ici ? fit Eliane, tout émue du passé et du mystère des choses.

— Oui ! répondit brièvement Roger qui semblait considérer l'endroit avec déplaisir.

Sans s'occuper du châtelain, la jeune fille, toute songeuse, avait appuyé son corps à un tronc et elle examinait le lieu qui depuis quelques heures occupait sa pensée.

L'endroit avait quelque chose de sombre et de mélancolique ; la pleine lumière du soleil n'y parvenait que difficilement à travers les raides aiguilles vertes des pins ; un lourd silence régnait sous les grands arbres et une odeur chauffée, quintessenciée de résine, emplissait l'atmosphère.

— Comme tout cela est triste, murmura-t-elle. Je comprends la terreur des paysans... Les feuilles qui tombent semblent des âmes éparses ; les ombres prennent des contours de fantômes et le moindre souffle du vent dégénère en plaintes et en sanglots.

— C'est un lieu macabre ! dit Roger dédaigneusement.

Elle le quitta et se dirigea vers le puits.

Ses pieds s'enfonçaient et disparaissaient dans les herbes hautes. Les orties et les ronces retenaient ses jupes au passage.

— Quelle puissante végétation !

— L'humidité, parbleu !... La terre reste ici toujours humide et verte quand les autres endroits du parc sont desséchés par la chaleur.

Elle avançait. Derrière elle, son compagnon la suivait lentement et sans enthousiasme.

— Ne vous attardez pas trop dans ce coin-là. Ce n'est pas sain.

— Laissez donc..

Elle était arrivée auprès des pierres écroulées et la paume des mains appuyée sur un vestige de maçonnerie, elle se penchait vers le trou béant.

— Prenez garde ! Si vous vous penchiez trop en avant, vous tomberiez dedans.

Elle sentit son bras fort lui enlacer la taille et la tirer en arrière.

Elle sourit tendrement et le remercia d'un beau regard confiant.

— Vous ne voulez pas que je rende visite aux ossements qui reposent au fond, dit-elle un peu provocante.

Mais elle le vit tout pâle et sa gaieté cessa subitement. Même un peu de terreur lui traversa l'esprit. Le lieu était si triste et si dramatique que de l'émoi naissait en elle.

Elle se sentit frissonner et, instinctivement, elle se serra tout contre lui.

— Si vous n'étiez pas là, Roger, je n'oserais pas rester ici... La solitude impressionne... Seule en ces lieux, je me figurerais qu'il y a toutes sortes de choses horribles cachées derrière les arbres et les fourrés qui n'attendent que l'instant propice pour sauter sur moi.

— Enfant ! fit-il tendrement. Vous feriez mieux de me laisser vous reconduire à la maison. Votre imagination se frappe de tout ce qui l'entoure... Allons, venez.

Eliane secoua la tête obstinément.

— Non... pas encore ! fit-elle.

— Cependant, vous avez peur ?

— Ma frayeur est ridicule... surtout quand je

vous sens si près de moi... D'abord, c'est déjà passé.

Elle s'assit commodément sur le large rebord de pierre, puis rangeant ses jupes, elle fit au jeune homme une place à ses côtés.

— Asseyez-vous, Roger. Nous allons rester ici pour causer, voulez-vous ?

Il eut un léger recul.

— Merci, je préfère être debout, répondit-il.

Et pour passer le temps, il alluma un cigare dont il tira machinalement de longues bouffées.

Il paraissait absorbé et gêné ; parfois, il examinait autour de lui avec une sorte d'inquiétude, et, comme si l'humidité du puits le gagnait, un frisson le secoua nerveusement tout entier.

Eliane, trop absorbée par ses pensées, ne le remarqua pas. Elle avait mis ses coudes aux genoux et sa petite tête sérieuse s'appuyait sur ses deux mains réunies.

Silencieusement, elle contemplait la minuscule trouée tachetée de clair et le bois de sapins rempli de grands trous d'ombre.

Dans sa cervelle, le récit du jardinier prenait corps et, sans effort, elle croyait voir se dérouler devant elle les événements tragiques qui, autrefois, avaient troublé sinistrement ces lieux.

C'était d'abord une brume légère qui s'étendait lentement et ternissait l'éclat des choses environnantes, et cette brume se modelait, lui semblait-il ; des visages farouches surgissaient et s'agitaient. Elle les voyait aller et venir dans une mêlée indescriptible... ils étaient pantelants, couverts de sang et de boue. Appuyé contre un arbre, elle reconnaissait leur chef, le fier colonel des gardes, Hugues Croixmare, le bisaïeul de Roger. Comme il ressemblait bien au portrait du grand salon ! Même air hautain, dur et énergique... Mais le traître apparaissait, Eliane distinguait ses cris et ses pleurs... elle entendait aussi le blasphème des autres qui l'avaient saisi pour le précipiter dans le noir du puits... C'était effrayant, ce spectacle ! Elle aurait voulu fuir, mais, subjuguée, elle restait immobile et l'action tout entière continuait à se dérouler devant son esprit halluciné comme les films agrandis d'un cinématographe d'horreur.

Les prunelles élargies par une inquiétude grandissante, la jeune fille sentait son nez se pincer, son sang mourir aux extrémités de ses membres et son cœur cesser de battre sous une oppression d'angoisse.

A un moment, l'affolante vision fut si nette qu'Eliane poussa un grand cri et se leva d'un bond.

— Oh !

Roger, dont le malaise avait grandi dans le silence, blêmit en entendant le cri de sa fiancée. Instinctivement, ses yeux se tournèrent vers le puits, comme si une secrète pensée lui faisait craindre quelque chose.

— Qu'est-ce que c'est ? demanda-t-il vivement en la saisissant par le bras.

Elle le regarda, les prunelles toujours agrandies.

— Oh ! j'ai cru voir... balbutia-t-elle.

— Quoi ?

Il lui serrait fiévreusement les bras, se cramponnant presque à elle.

La douleur rendit à Eliane sa présence d'esprit.

— Vous me faites mal, Roger, protesta-t-elle doucement.

Il lâcha prise sans prononcer un mot, mais son regard apeuré continuait de fixer le vieux puits. On eût dit qu'il s'attendait à voir la cause de son mystérieux effroi en sortir.

Ce fut au tour de la jeune fille de demander :

— Qu'est-ce que vous avez, Roger ?

Deux fois elle répéta sa question...

Comme il se taisait toujours, elle ajouta, la voix frémissante, car de nouveau la frayeur venait à elle :

— Oh ! ne regardez plus ainsi le puits... Parlez-moi, je vous en prie, Roger ! Vous me faites peur !

Il détacha ses yeux du trou béant et les porta sur elle.

Il vit son émoi... son étonnement, peut-être ! Et, faisant un effort suprême, il se maîtrisa et lui prit la main.

— Ne restons plus ici, voulez-vous, Eliane ! dit-il, la voix un peu rauque. Ces lieux ne valent rien pour vous... Votre imagination les peuple de chimères et vous vous effrayez.

Un peu de surprise passa dans le regard de la jeune fiancée.

— Mais vous-même, Roger ! dit-elle franchement. Vous avez eu peur aussi ?

— Oui, avoua-t-il tranquillement en affermissant son ton. Vous m'avez alarmé. Quand je vous ai entendue crier, j'ai cru que vous étiez tombée dans le trou... J'ai eu une minute d'affolante angoisse.

— Vrai ! c'était ça ! fit-elle coquettement, à présent, le cours de ses pensées complètement changé.

Il se pencha vers elle tendrement.

— Mais sans doute... Quelque chose peut-il m'intéresser plus que vous ?

En parlant, il avait passé son bras robuste autour

65

de la taille souple d'Eliane et doucement, la tenant bien pressée contre lui, il l'entraînait loin du puits.

Eliane se laissait faire, délicieusement charmée de s'abandonner à cette étreinte. Après sa grande frayeur de tout à l'heure, cela lui semblait bon de se sentir entourée et enveloppée par cette tendresse masculine que tout affirmait.

Quand, par le minuscule sentier tracé sous les sapins, ils débouchèrent dans une des allées du parc, Roger, maintenant remis complètement de son trouble, ne craignit pas d'interroger Eliane sur les causes de l'émoi qu'elle avait si pleinement manifesté.

— C'est, répondit-elle avec encore un frisson, que je voyais le malheureux traître, dont le père Etienne m'a parlé, se débattre au fond du puits.

— A force d'y penser, vous finissez par être obsédée de ces choses.

— Oh ! je croyais vraiment le voir ! Figurez-vous que ce pauvre garçon tournait et retournait sur lui-même comme un lion dans sa cage... la bouche pleine d'eau, les yeux affolés levés vers un petit lambeau de ciel, il essayait en vain de saisir les murs gluants de sa prison...

— Très gai ! murmura Roger qu'une légère impatience gagnait.

Elle n'entendit pas.

— Quelle agonie ! continua-t-elle en se serrant craintivement contre lui. Ce n'est qu'une vision, mais c'est affreux de penser qu'elle a peut-être été vécue. C'est horrible d'être jeté vivant au fond d'un puits.

Croixmare haussa les épaules.

Un large pli entre les sourcils froncés donnait soudain un air dur à sa physionomie.

— Vous prenez goût aux choses macabres, décidément ! Votre imagination se complaît à inventer des scènes de cauchemar.

— Cependant, ce malheureux ?... Il est tombé vivant dans le fond.

— Allons donc ! il est mille fois probable qu'il s'est tué dans sa chute.

— Dieu le veuille !

— Croyez-m'en, Eliane, — et sa voix prit un ton d'autorité et de véhémence qui ne lui était pas habituel, — cessez de vous tourmenter au sujet d'un misérable dont le châtiment n'était que trop mérité... Et même, si vous voulez me faire plaisir dorénavant, ce sera de ne plus retourner au vieux puits. Le parc est immense et offre assez de jolis buts de promenade sans que vous alliez vers cet endroit sinistre chercher des évocations malsaines et troubles.

Eliane allait protester contre l'interprétation fâcheuse que Roger donnait à ses réflexions d'enfant sensible ; mais ayant levé les yeux vers le jeune homme, elle vit son visage renfrogné. Comme rien, dans sa conduite, ni dans ses paroles, ne lui semblait mériter le mécontentement évident de son fiancé, la jeune fille, déçue, garda le silence et ils continuèrent leur course vers le château sans échanger d'autres paroles.

Cependant, un point d'interrogation se précisait dans l'esprit d'Eliane.

« Comme Roger avait une singulière attitude chaque fois que, devant lui, il était question du vieux puits ! »

VIII

CŒUR DE TANTE, CŒUR DE MÈRE

Dans le petit salon contigu à la chambre à coucher de Mme Croixmare, ils étaient tous réunis, ce soir-là, après le dîner.

Auprès du feu, la vieille dame causait avec Mme de Surtot et Mlle de la Brèche, la mère et la tante d'Eliane, pendant que, dans un coin, les fiancés échangeaient à mi-voix leurs confidences d'amoureux et bâtissaient de superbes projets pour « quand ils seraient mariés ».

Mme Croixmare écoutait distraitement ses deux compagnes. De temps en temps, elle semblait prêter l'oreille aux bruits du dehors.

— Vous attendez quelqu'un ? lui demanda tout à coup Mlle de la Brèche qui avait fini par remarquer ses distractions.

— Quelqu'un ? non, répondit la mère de Roger. J'attends mon courrier et, si vous me le permettez, je vais m'informer...

En disant ces mots, elle appuyait son doigt sur un bouton électrique.

La porte s'ouvrit bientôt et Baptiste parut.

Il tenait justement à la main la correspondance qu'il venait d'aller prendre au bureau de poste, le facteur ne montant pas aux Houx-Noirs à la dernière distribution.

— Il y a des lettres pour moi ? demanda vivement Mme Croixmare.

— Non, madame, des journaux seulement !

Respectivement, le serviteur les lui tendait, mais elle les repoussa avec indifférence.

— Posez cela sur le guéridon.

Il obéit, puis se retira.

Roger, qui voyait la déception de sa mère, s'informa aussitôt :

— Tu attendais une lettre dont le retard t'inquiète ?

— Oui, dit-elle. Une lettre de Jean.

Il eut un sursaut de surprise.

— De Jean !

— Sans doute. Pourquoi n'écrit-il pas ?

— Bah ! fit-il, redevenu calme. Tu sais bien... il a toujours été très négligent.

— Mais jamais il n'a été impoli ! Il nous a quittés si drôlement qu'un mot d'excuse était tout indiqué.

— Il boude, parbleu !... Je t'ai expliqué notre désaccord.

— Aussi son silence vis-à-vis de toi ne m'étonne pas... Ce qui me surprend, c'est qu'il m'englobe dans sa rancune. J'ai toujours été très bonne pour lui.

— Jean n'a jamais eu la bosse de la reconnaissance ! fit Roger amèrement.

— Mais je lui ai presque servi de mère et il n'a plus guère que moi comme famille...

— La famille ! Il y a belle lurette qu'elle ne compte plus pour lui, en dehors de ses besoins d'argent !

Eliane qui, jusque-là, avait écouté en silence cet

échange de réflexions entre le fils et la mère, ne put s'empêcher, avec sa vivacité coutumière, de protester aux paroles de Roger.

— Fi ! monsieur mon fiancé ! s'écria-t-elle. Voulez-vous bien ne pas accabler ainsi ce pauvre garçon ! Vous le chargez de toutes les noirceurs possibles !

— Je vous assure, ma chère enfant, que je suis encore au-dessous de la vérité. Mon cousin est un bien vilain individu !

Mme Croixmare prit à son tour la défense de l'absent.

— Oh ! Jean n'est qu'un étourneau ! C'est un gamin qui pense un peu trop à s'amuser ! Orphelin très jeune, sans fortune, il n'a pas eu l'énergie de lutter contre la destinée. Roger lui souhaite plus de sérieux et moins de gaspillage... Moi, je n'ai pas le courage de lui en vouloir ; c'est un si gentil garçon !

— Attrape ! s'écria la jeune fille avec une pichenette moqueuse vers son fiancé, qui sourit sans répondre.

— Vous êtes donc inquiets à son sujet, en ce moment ? intervint Mme de Surtot, se mêlant à son tour à la conversation.

Tristement, la châtelaine répondit :

— Voici quinze jours qu'il a quitté subitement les Houx-Noirs et nous sommes, depuis, sans nouvelles de lui. Je crains qu'il ne lui soit survenu quelque chose.

— Cela lui est déjà arrivé de nous laisser sans nouvelles, observa Roger sans indulgence.

— Ce n'est pas la même chose. Il n'avait pas alors d'ennuis d'argent.

— Parbleu ! J'avais payé ses dettes !

— Tandis que, cette fois, tu as refusé.

— Avec raison !

— Peut-être était-il vraiment acculé...

— Tant pis pour lui !

— Mais si, dans le désarroi du moment... devant les conséquences de ses folies, devant le chiffre de ses dettes, il avait pris une funeste détermination ?

Eliane joignit les mains avec effroi.

— Oh ! mon Dieu ! quels regrets pour vous, Roger ! balbutia-t-elle.

— Allons donc ! s'écria brusquement le jeune homme. Valmont était trop lâche pour se détruire ! Il était plutôt capable de ruiner la vie d'un ami pour se rendre service à lui-même.

Il s'était levé et, à grands pas nerveux, il arpentait le salon.

Cette conversation semblait le mettre mal à l'aise... Peut-être le souvenir de sa dureté envers son cousin lui causait-elle quelques remords. Mais sa rancune contre l'absent devait s'en augmenter encore, car il poursuivit, s'adressant à sa mère :

— C'est un bien grand honneur que tu fais à Jean de te tourmenter à son sujet. Un pareil vaurien ne mérite pas ton attention !

La jeune fille réprima difficilement une nouvelle protestation. Le ton d'acharnement que prenait Roger pour parler de son parent lui causait un véritable malaise.

Pourquoi donc son fiancé montrait-il une si grande sévérité vis-à-vis de celui qui avait si longtemps vécu à ses côtés et partagé tous ses plaisirs d'adolescent ? Il n'avait donc pas la constance des vieilles amitiés ni le respect des chers souvenirs d'enfance ?

Combien Eliane aurait davantage admiré Roger si, au lieu de se poser en redresseur de tort, le jeune homme avait cherché à défendre son cousin et à atténuer les erreurs de celui-ci !

Comme ce n'était pas le cas, la jeune fiancée poussa un gros soupir et, saisie d'un mauvais pressentiment qu'elle aurait voulu mieux définir, elle prêta une plus grande attention à la conversation.

Mme Croixmare avait hoché la tête aux réflexions désabusées de son fils.

— Peut-être as-tu raison de juger Jean si sévèrement, fit-elle, conciliante ; mais, malgré tout, je ne puis m'empêcher d'avoir beaucoup de complaisance pour ce malheureux enfant...

— Tu es pétrie d'indulgence pour tout le monde... c'est une habitude !

Elle sourit, fermement.

— Justement ! je la garde ! A mon âge, il en coûte toujours de changer quelque chose à ses habitudes !... Donc, puisqu'il est convenu que je suis indulgente...

— D'une façon déplorable !

—... Que je suis déplorablement indulgente, j'ai écrit à Jean.

— Toi ?

— Moi.

Elle regardait son fils en souriant tranquillement et comme amusée de sa révélation.

Roger s'était brusquement arrêté devant elle.

La lumière blanche des ampoules électriques ne contribuait peut-être pas seule à rendre le jeune homme si pâle.

— Tu as fait cela ? balbutia-t-il.

— Mais sans doute !

— Et pourquoi ?

— Je te l'ai dit : j'étais inquiète.

— Et... peut-on savoir...

— Quoi ?

— Ce que tu lui as écrit ?

— Oh ! pas grand-chose, expliquait-elle gaiement. J'ai horreur des longues lettres et des
explications embarrassantes... j'ai grifonné deux
lignes : « Je suis inquiète de vous, Jean. Ecrivez
vite pour rassurer votre vieille tante qui vous
aime... » Et pour bien lui prouver la sincérité de
mon affection, j'ai glissé dans l'enveloppe une
dizaine de grands billets bleus. Mieux que mon
message, ils l'auront convaincu de mes bons sentiments...

Eliane avait bondi de sa place jusqu'auprès de la
vieille dame. Les bras noués autour de son cou, elle
l'embrassait avec effusion.

— Oh ! comme c'est bien ! comme c'est bien !...
Vous êtes vraiment bonne... Ce pauvre garçon,
merci pour lui... Ah ! vous avez bien fait ! c'est
bien !... Pauvre Jean !

Moitié riant, moitié pleurant, elle exprimait sa
joie présente et son émoi de l'instant d'avant par
des mots sans suite qui charmaient Mme Croixmare,
mais qui blessaient le fils de celle-ci.

L'approbation bruyante que la jeune fille donnait aux actes de la vieille dame était, en effet, en
quelque sorte, un blâme énergique à la conduite de
Roger. Il le sentait et s'en affligeait, car il aimait
véritablement sa fiancée et l'idée de lui avoir déplu
lui était odieuse, mais il était trop maître de ses
impressions pour les laisser paraître.

Lorsque Eliane eut fini ses démonstrations affec-
tueuses, il se contenta de faire remarquer, doucement railleur :

— Est-il heureux, ce Jean, d'attirer toutes les

sympathies féminines. Il n'y a qu'un mauvais sujet pour rallier toutes les femmes à son parti !

Eliane le regarda, interdite, craignant de l'avoir fâché ; mais elle vit qu'il souriait et elle se rassura.

Allant vers lui, elle lui tendit la main :

— En revanche, répliqua-t-elle, il n'y a qu'un homme sérieux et sage pour faire un bon et loyal mari. C'est l'avis de ma mère et de ma tante, et... c'est aussi le mien !

Roger ne répondit pas, mais il porta à ses lèvres la petite main qui s'offrait à lui.

Puis, attirant dans un coin du salon la blonde et rougissante fiancée, il reprit avec elle la conversation si désagréablement interrompue par Mme Croixmare, à propos de Jean.

IX

SOUS LES SAPINS

Eliane s'était levée tôt ce matin-là.

Vêtue simplement d'un ample peignoir de cré-
pon rose qu'une grosse cordelière retenait à la
taille, elle avait quitté sa chambre et gagné le parc.

Sept heures venaient à peine de sonner à
l'horloge de la minuscule tourelle qui terminait le
château du côté des communs.

Les maîtres et les hôtes des Houx-Noirs dor-
maient encore profondément et, seuls, les domestiques et les serviteurs du dehors allaient et venaient
autour de l'habitation principale, chacun vaquant à
ses occupations avec une ardeur matinale que le
milieu du jour devait calmer.

Le soleil, encore bas à l'horizon, commençait à
tamiser d'or les taillis mauves embués de rosée
scintillant sous la brise comme des diamants jetés à
profusion.

Des sons brefs et sonores signalaient partout le
réveil du jour et la reprise de la vie : le cri aigu du
coq appelant ses poules autour de lui, l'aboiement
des chiens affamés réclamant leur pitance habituelle, le heurt ferré d'un sabot de cheval contre le
bois des stalles, le beuglement des vaches s'en-

nuyant dans l'étable, les jurons étouffés des valets poussant de la voix et de la main les bêtes nerveuses vers l'espace libre des champs.

Eliane s'était dirigée vers la ferme dont la toiture de tuiles rouges perçait sur sa droite à travers l'épais feuillage des chênes séculaires.

Elle marchait gaiement, sautillant et chantant dans le chemin jaune que la fraîcheur de la nuit avait rendu légèrement boueux.

Un bruit sourd de sabots frappant les pierres de la route la fit se détourner.

— Oh ! bonjour, père Etienne ! cria-t-elle en apercevant le vieux jardinier qui marchait pesamment en tenant la bride d'un gros cheval percheron.

L'homme mit sa casquette à la main, respectueusement. Et comme elle s'était arrêtée pour l'attendre, il pressa imperceptiblement son allure et la rejoignit.

— Vous allez labourer aujourd'hui, père Etienne ? demanda-t-elle familièrement, en passant sa main caressante sur les hanches dures du cheval qu'il conduisait.

— Que non ! fit le serviteur en hochant la tête avec une moue de déplaisir. J'aimerais mieux labourer. Je vais faire un travail bien plus désagréable que ça.

— Lequel donc ?

Elle s'était rangée près de lui et, mesurant sa marche sur les pas inégaux de son compagnon, elle l'interrogeait avec intérêt.

— C'est moi que M. Roger a désigné par charroyer de la terre là-bas... Je vais atteler le tombereau.

— Où devez-vous porter la terre, dites-vous ?

— Au vieux puits.

Elle s'étonna.

— Au vieux puits !... Et pour quoi faire cette terre ! dit-elle après une seconde de surprise.

— Pour boucher le trou, pardi !

— Combler le puits ?

— Oui.

— Ah !

Le jardinier, qui le croyait au courant de la décision de son jeune maître, leva la tête vers elle et s'informa :

— M. Roger ne vous en a donc point parlé, mam'zelle Eliane ?

— Non.

— Eh bien ! c'est étonnant !

— Pourquoi ?

— Parce que c'est à cause de vous qu'on va enfin boucher ce mauvais puits.

Eliane allait de surprise en surprise.

— A cause de moi ! répéta-t-elle.

Le bonhomme sourit d'un air finaud.

— Sauf votre respect, mam'zelle, mais il paraît que, malgré votre bravoure, vous avez eu tout de même un brin peur, l'autre jour...

— Oh ! si peu !... Et c'est pour ça ?

— Dame !

— Mais M. Roger a eu presque aussi peur que moi.

L'homme parut amusé de la réflexion de la jeune fille, et un sourire incrédule retroussa le coin de sa bouche.

— Il est un peu grand, M. Roger, pour avoir peur du vieux puits, remarqua-t-il franchement.

— Je vous assure...

Elle se tut, gênée subitement par le souvenir de

la singulière attitude du jeune châtelain lors de leur visite au vieux puits.

Maintenant, sa gaieté envolée, elle cherchait à préciser dans sa mémoire les moindres détails de ce fameux après-midi.

Mais le vieux, tout à son sujet, poursuivait :

— Une sale corvée, bien sûr, que M. Roger m'a donnée là !

Elle questionna distraitement, pour dire quelque chose, car sa pensée était loin :

— Vous devez travailler seul ?

— Non ! Clément, le cocher, m'aidera à transporter la terre et, là-bas, le p'tit Pierre me donnera un coup de main pour la « bayer » dans le puits... Le jeune maître veut que ce soit bien tassé pour qu'on puisse niveler facilement ensuite.

— Ah ! oui...

Soudain, elle tressaillit. Le sens des paroles du vieux parvenait enfin à son cerveau.

— Vous dites qu'on nivellera la place ?

— Il paraît.

— M. Roger veut-il donc faire démolir le vieux puits ?

— Oui-da ! Tout ce qui reste va tomber sous la pioche.

— Oh !

Elle avait eu un choc au cœur comme si on lui avait parlé d'une profanation dont elle aurait été la cause initiale.

Et, de nouveau, un sourd malaise se levait en elle.

Pourquoi donc tout ce qui se rattachait au vieux puits l'émouvait-il à ce point ?

En dehors de ce que le père Etienne lui avait

raconté, qu'est-ce qui avait bien pu se passer là-bas qui la troublât si étrangement?

Et pourquoi le geste si naturel de son fiancé voulant à jamais détruire ce lieu lugubre, lui apparaissait-il instinctivement comme mystérieux et sacrilège?

Elle se secoua, voulant sortir du songe et rompre l'enveloppement menaçant de suppositions indécises. Elle interrogea :

— Quand devez-vous faire ce travail?

— Aujourd'hui.

— Ce matin? insista-t-elle.

— J'y vais de ce pas. Le temps d'atteler, de remplir le tombereau et de casser la croûte...

Intérieurement, elle calculait :

— Dans deux heures environ, vous serez au vieux puits.

— Oui. Vers neuf heures, j'y verserai ma première pelletée.

— Bon!

L'homme avait craché à terre d'un jet brusque, comme s'il éprouvait le besoin de manifester son mécontentement et son mépris de la besogne qu'on lui avait assignée.

Eliane s'était arrêtée. Résolument, elle changeait le but de sa promenade.

— Je vous quitte, père Etienne. Bon courage!

— Merci bien, mam'zelle Eliane.

Il avait soulevé sa casquette et placidement, du même pas lourdaud, il continuait son chemin.

La jeune fille revint pensivement sur ses pas, jusqu'au détour d'une allée, puis elle obliqua vers le bois dont elle apercevait les grands arbres à l'autre extrémité du parc.

« Je veux revoir une autre fois le vieux puits. »

Ce désir s'était imposé à elle sans qu'elle le discutât.

Avant que la vieille ruine fût disparue à jamais sous les coups de pioche des serviteurs de Roger, elle voulait y faire un dernier pèlerinage.

De son joli pas précis et rythmé d'adolescente, elle hâta sa course vers le bouquet de pins funéraires qui, dans le lointain, à travers les cimes élevées des autres arbres, désignait l'emplacement du vieux puits.

Bientôt, elle atteignit la lisière du bois.

Sans hésitation, elle y pénétra. D'être déjà venue dans ces parages avec Roger, d'avoir foulé ce même sentier, aperçu ces mêmes creux où de l'eau verdissait, elle se familiarisait avec l'endroit, et la solitude ne la troublait plus.

Le soleil était plus haut et plus étincelant à l'horizon. Ses rayons criblaient d'or l'épaisseur humide du feuillage et les arbres ruisseler d'eau lumineuse.

Des rumeurs confuses s'imposaient autour d'Eliane sans qu'elle s'en effrayât. C'était le frisson froissé des aiguilles de pins sous ses pieds ; le déboulis tout proche d'un lapin sous bois ; la gaieté murmurante du feuillage où des bourdonnements ailés d'insectes se mêlaient à la sautée des oiseaux dans les branches ; le tintement sonore d'une cloche, au loin, appelant les fidèles à l'office, auquel répondait, de l'autre côté du pays, un autre clocher sonnant la lenteur d'une agonie.

Sous les raides troncs noirs, la jeune fille allait comme en un rêve teintant son esprit d'évocatrices visions.

Un peu d'essoufflement lui venait de sa marche rapide.

Elle interrogea du regard le bout du sentier. Une petite trouée claire s'y destinait et, au fur et à mesure que la distance diminuait, le trou s'élargissait.

Tout à coup, avec une sorte de joie douloureuse, Eliane distingua la carcasse grise et terne du vieux puits qui se dressait plus mystérieux et plus solitaire que jamais.

X

UN PORTEFEUILLE BIEN REMPLI

Eliane marcha vers le vieux puits.

Elle allait lentement, à petits pas discrets, non par hésitation, mais plutôt par une sorte de réserve et de respect pour ce lieu funèbre.

Il lui semblait presque qu'elle parcourait une allée d'église ou qu'elle défilait devant une double rangée de tombes, et l'envie lui venait de se mettre à genoux pour se recueillir et prier.

Auprès des pierres grises couronnées de lierre, elle s'arrêta longuement sans que la moindre crainte se mêlât à ses pensées. Aucune autre émotion qu'une violente curiosité ne naissait en elle devant ce vieux tombeau au fond duquel des pourritures grouillaient.

Le trouble de sa première visite ne l'agitait plus, et l'hallucinante vision qui l'avait affolée auprès de Roger semblait à jamais envolée, maintenant qu'elle était seule.

Et ce jour-là seulement, elle remarqua la vétusté des objets qui l'entouraient, la margelle effondrée par places, les pierres d'un gris sale où la mousse verdissait, la poulie de fer toute rongée par la rouille, les deux montants aux ferrements arrachés, les herbes folles et les ronces qui poussaient dans les moindres joints.

Elle fit le tour du puits presque machinalement. Ses yeux observaient confusément les derniers vestiges de l'antique maçonnerie et, avec attendrissement sa pensée suivait, dans la succession des années, l'effort des éléments contre la matière inerte mais solide qu'ils avaient pourtant réussi à entamer.

Soudain, elle se baissa.

A ses pieds, glissé entre deux pierres, un objet de teinte foncée attirait son attention.

Elle le ramassa du bout des doigts.

C'était un portefeuille.

Etonnée d'une pareille trouvaille, elle le tournait et retournait dans tous les sens, avec une crainte mêlée de dégoût.

Deux initiales en argent s'étalaient sur une des faces.

Elle lut un J. et un V. et son étonnement s'accrut, car, momentanément, ces lettres ne lui disaient rien.

« Ce n'est pas à Roger, pensa-t-elle. Mais à qui donc, alors ? »

Elle réfléchissait, sans trouver de solution, en continuant son examen.

« Ce portefeuille a dû être perdu récemment... Le cuir est à peine décoloré et un des côtés, seul, est humide... »

Elle tâta l'épaisseur de l'objet, puis l'ouvrit.

De nombreux papiers en gonflaient les poches et un scrupule vint à Eliane :

« Il y a peut-être d'importants papiers là-dedans ? N'y touchons pas ! Je le remettrai à Roger qui avisera. »

La trouvaille qu'elle venait de faire avait distrait sa pensée du vieux puits et, maintenant, elle ne songeait plus qu'à regagner le château.

Avec une hâte véritable, elle prit le sentier qui s'ouvrait sur sa droite sans s'apercevoir qu'ayant tourné sur elle-même, plusieurs fois, dans la clairière, la route qu'elle suivait n'était pas celle par où elle était venue.

Après quelques instants de marche rapide, elle s'arrêta, toute surprise, sur la lisière du bois, alors qu'elle ne croyait avoir franchi que la moitié à peine du chemin à parcourir.

Un rapide examen autour d'elle la convainquit de son erreur.

« Je me suis trompée de sentier ! »

Mais vite, elle reconnaissait l'endroit.

« Tiens, le pavillon ! »

En effet, devant elle, à l'orée du bois de sapins, se dressait une délicieuse maison normande aux balcons de bois bruni. Et Eliane reconnaissait l'ancien rendez-vous de chasse qu'elle avait visité le lendemain de son arrivée aux Houx-Noirs.

Et aussitôt, elle formula cette réflexion :

« Je ne croyais pas que le pavillon fût si près du vieux puits... »

Une idée en enchaîne souvent une autre. Du pavillon, sa pensée sautait au vieux puits, du puits au portefeuille qu'elle avait trouvé et du portefeuille à Jean Valmont qui avait dû coucher au pavillon.

Tout cela se déroula dans son esprit en moins de temps qu'il ne faut pour l'expliquer, car cette exclamation suivit immédiatement sa réflexion :

« Jean Valmont !... J. V., ce sont les initiales de Jean Valmont ! »

Elle en demeurait toute saisie.

« Jean Valmont ! répéta-t-elle. Il est donc allé au vieux puits. »

Elle frissonna. Une terreur indécise naissait en elle à la pensée qu'il y avait peut-être eu corrélation entre le mystérieux puits et la disparition encore inexpliquée de Jean.

« Oh ! mon Dieu ! bégayait-elle. S'il y avait eu un accident ? »

Elle se sentit lasse et voulut s'asseoir, le temps seulement de ressaisir ses idées et de s'affirmer à elle-même que sa supposition était invraisemblable.

Il y avait deux bancs de chaque côté du minuscule perron qui donnait accès au pavillon. Elle se laissa tomber plutôt qu'elle ne s'assit sur l'un d'eux, tant le désarroi de ses pensées était complet.

« Qu'est-ce que cela voulait dire ? Quel mystère se terrait donc dans ce menaçant puits que Roger faisait justement combler ce jour-là ! »

Pensivement, elle tournait et retournait, entre ses mains, le portefeuille humide et terreux qui contenait peut-être le secret de l'énigme.

Elle se décida à l'ouvrir et à compulser les papiers qu'il recelait.

Avec hésitation d'abord, comme si elle commettait une indiscrétion, ses doigts pincèrent des billets pliés en quatre.

C'étaient des factures, des notes non acquittées.

« Pauvre Jean ! L'argent qu'il a demandé à Roger était destiné, sans doute, à payer tout ça... »

Une mélancolie l'étreignait soudain. Devant la preuve palpable des besoins d'argent du disparu, le refus de son fiancé lui apparaissait plus encore entaché de dureté.

« Jamais je n'aurais eu le courage de refuser, moi ! »

Et des larmes montèrent à ses yeux à la pensée du malheureux déshérité.

« C'est atroce d'être sans fortune et de n'avoir plus rien pour assurer l'existence du lendemain !... Comment aurait-il fait ?... Ses créanciers auront-ils été moins impitoyables que Roger ? »

En cette minute, elle détestait presque le trop cruel châtelain.

« Roger ignore la misère... Il n'a jamais manqué de rien, cela se voit ! »

Après un instant de pénibles réflexions, elle continua de vider le contenu du portefeuille et des lettres lui apparurent.

L'écriture en était fine et légère ; les traits de plume avaient à peine effleuré le papier vergé qu'une vague odeur de violette parfumait encore.

Eliane devina des lettres de femme.

Elle n'osa pas les lire, mais un tout petit bristol s'offrit à son regard et, machinalement, elle parcourut les trois lignes qui y étaient tracées :

« Roger se marie. Il faut empêcher ce mariage. Venez ce soir ; je désire absolument vous parler.

« NÉRELLE. »

« Tiens ! »

Elle lut et relut ces trois lignes avec une véritable stupéfaction.

« Comment ! Une femme a voulu empêcher le mariage de Roger ?... Pourquoi ?... »

Et Jean était au courant !

Elle secoua la tête, ne comprenant pas. Elle

devinait instinctivement quelque histoire d'amour à laquelle Roger avait été mêlé, mais son âme trop chaste et trop haute ne percevait pas autre chose.

Cependant, une réflexion la fit frémir.

« Roger a peut-être aimé une jeune fille qu'il aura abandonnée ensuite ? »

Cette pensée lui fit mal. A cause d'elle, une autre femme souffrait peut-être...

Alors, elle voulut savoir et, sans scrupule à présent, elle ouvrit l'une après l'autre toutes les lettres qu'elle avait respectées jusqu'ici.

C'étaient des missives ardentes et passionnées dont le ton exalté l'étonnait un peu, mais ces lettres ne lui apprirent rien, sinon que Jean correspondait avec une femme très éprise du jeune homme.

Déçue, elle revint au bristol et le parcourut à nouveau avec un émoi grandissant.

« Il faut que je sache, pourtant ! »

Elle regrettait que la carte ne portât pas une adresse et que le prénom Nérelle ne fût pas suivi du nom même.

« Comme cela, j'aurais peut-être pu savoir... »

Mais il fallait chercher ailleurs, le mystérieux carton ne laissant rien deviner entre ses mots énigmatiques.

Elle reprit le portefeuille et, avec une plus grande attention, elle en recommença l'inventaire.

Une lettre froissée, enfouie au fond d'une petite poche secrète, lui avait échappé.

Frémissante, avec un peu d'angoisse, elle la déplia.

A peine y avait-elle jeté les yeux que sa main se mit à trembler. Elle lisait :

« Jean,

« Vous avez tort de ne point vouloir faire ce que je vous demande. Votre cousin est indigne de la délicieuse Eliane de Surtot. Si vous refusez d'aider ma vengeance en faisant rompre ce mariage, servez-vous au moins, pour vous tirer d'affaire, des papiers que je vous ai remis l'autre jour. Croyez-m'en, Roger est trop riche pour ne pas racheter très cher les preuves de son infamie d'autrefois.

« Votre amie,

« NÉRELLE. »

Les prunelles dilatées de stupeur, Eliane répéta :
« Roger est trop riche pour ne pas racheter très cher les preuves de son infamie d'autrefois... »

Un brouillard avait passé devant ses yeux et elle restait anéantie sur le banc, brisée moralement, incapable de faire un mouvement, tant sa détresse était immense.

« Roger !... Roger avait commis une infamie ! »

A cette pensée, son cœur cessait de battre et il lui semblait que tout son sang, afflué vers les extrémités de ses veines, coulait lentement par le bout des doigts.

C'était atroce.

Un infâme, indigne d'elle, son fiancé !... L'homme de qui elle devait être bientôt la femme !... Celui en qui elle avait mis toute sa confiance !...

Des bourdonnements emplissaient ses oreilles en un glas sourd sonnant l'agonie de son bonheur.

Elle fit un effort pour se dresser et rompre l'enchaînement douloureux de ses pensées. Mais une lueur navrante de détresse contenue noyait encore son regard.

Des larmes perlèrent à ses cils, puis roulèrent à flots sur ses joues pâlies, et ce lui fut un vrai soulagement de pleurer.

Elle fut plus calme après cette crise de désespoir et elle eut le courage de relire la lettre dénonciatrice.

Eliane, au fond, était une vaillante. Elevée assez sévèrement par une mère un peu altière, elle avait appris, très jeune, à dominer ses nerfs, à garder son sang-froid et à réfléchir avant d'agir dans les moments difficiles.

Maintenant qu'elle avait donné à son chagrin sa première rançon de larmes et de révolte, elle se domina et, avec calme, sinon sans amertume, elle put réfléchir à la situation.

Devant le coup qui atteignait sa douce tranquillité de fiancée, elle se trouva vaillante et droite, prête à tous les sacrifices et à tous les généreux pardons... si, toutefois, l'infamie commise par Roger était de celles que les traditions de sa race lui permettaient de pardonner.

Mais, avant tout, il convenait de se renseigner et de savoir au juste à quelle action blâmable de la vie de Roger faisait allusion la lettre que le hasard mettait ce jour-là entre ses mains.

En même temps qu'elle sentait la nécessité de ne point agir à la légère et sans données fixes, le souvenir de la sévérité des étiquettes de sa vie tempéra encore le bouillonnement impétueux de son esprit surexcité.

Avant de porter en plein, à son bonheur, le coup de pioche démolisseur, elle devait sauver les apparences, continuer à vivre officiellement avec sa sérénité habituelle et éviter les perfidies des commentaires.

Il fallait rentrer au château, maintenant.

Dans le lointain, une cloche sonna dix coups.

« Dix heures, déjà ! » pensa-t-elle avec un véritable ennui, en s'apercevant que la matinée était si avancée.

Elle avait manqué l'heure du déjeuner !

D'un envol de pensée, elle estima le chemin à parcourir.

« Ils sont peut-être inquiets, là-bas ? Ils doivent m'attendre... me chercher même ! »

Vivement, elle rassembla les papiers épars sur ses genoux. Quelques-uns avaient glissé à terre, elle les ramassa avec la même hâte et les joignit aux premiers, serrant le tout dans le portefeuille.

« Je ne parlerai pas aujourd'hui de ma trouvaille » décida-t-elle.

XI

MÈRE ET FILS

— Roger !... Roger, arrive donc.

Par trois fois, Mme Croixmare répéta son appel.

— Eh bien ! qu'est-ce qu'il y a ? fit tout à coup le jeune homme en apparaissant entre les tentures qui garnissaient la porte de l'appartement maternel.

Elle le regarda, toute vibrante d'émotion.

— Figure-toi... c'est extraordinaire... la lettre de Jean...

Roger eut un sursaut et répéta :

— La lettre de Jean ?

— Oui, celle que je lui ai envoyée...

— Eh bien ?

— La voici... on me la retourne...

Plus calme, il demanda :

— Qui est-ce qui la retourne ?

— La poste... l'administration des postes ! Tiens, vois... il y a une petite note sur l'adresse... C'était justement une lettre chargée !

Roger prit flegmatiquement le carré de papier et l'examina.

Il lut tout haut :

« Retour à l'envoyeur. — Le destinataire, absent de chez lui depuis le 15 courant, est parti sans laisser d'adresse. »

Le jeune châtelain eut un sourire.

— Encore une fredaine de Jean ! fit-il. Il fait la fête dans quelque coin...

Mais Mme Croixmare, d'un geste de protestation, lui coupa la parole.

— Non, ne ris pas... c'est peut-être plus grave que tu ne le penses.

Roger haussa les épaules d'un air sceptique.

— Oh !...

— Si, regarde la date de son départ : « Absent de chez lui depuis le 15 courant... » C'est clair, hein !

— Je ne vois pas.

— Comment ! Mais réfléchis : c'est le 15 au soir qu'il est venu ici... c'est dans la nuit du 15 au 16 qu'il nous a quittés si bizarrement et si mystérieusement... et, depuis, il n'a pas reparu à son domicile. C'est une véritable disparition !

— Mais non ! Je ne vois là rien d'extraordinaire. Jean, en quittant les Houx-Noirs, sera allé chez des amis qui l'auront retenu, voilà tout !

La vieille dame hocha la tête. Elle n'avait pas la même sérénité que son fils, et de pénibles appréhensions commençaient à naître en elle.

— Dieu t'entende ! soupira-t-elle.

— Allons, maman ! ne te fais pas de mal inutilement. Tout ça s'arrangera, tu verras.

Elle eut un sourire navré :

— Je l'espère... mais comme j'aurais été plus tranquille, si tu n'avais pas refusé à ton malheureux cousin la somme qu'il te demandait.

Le jeune homme ne peut réprimer un mouvement de contrariété.

— Bah ! fit-il brusquement. Quand tu me repro-
cherais toujours la même chose, ce qui est fait est
bien fait !... D'ailleurs, moi, je ne regrette rien et
ce serait à recommencer que je n'hésiterais pas à
opposer le même refus aux réclamations et aux
exigences de mon cousin... C'est assommant d'être
obligé de toujours payer les dettes d'un autre !

Il marchait nerveusement, donnant par saccades
sur le plancher de petits coups de talon.

Mᵐᵉ Croixmare, toujours pensive, vint à lui et
doucement lui posa la main sur le bras.

— Ne te fâche pas, Roger, fit-elle maternellement. Si tu m'entends bien souvent regretter ta
fermeté vis-à-vis de Jean, c'est que je suis sans
cesse assaillie par de mauvais pressentiments...

Une angoisse vite dominée passa dans les prunelles d'acier du jeune homme.

— Que veux-tu dire ? demanda-t-il.

Elle secoua la tête et soupira :

— Il me semble parfois que tout cela va nous
porter malheur... Si je t'avouais, mon fils, que,
chaque fois qu'il est question de Jean devant moi,
j'ai une oppression qui m'étreint... comme une
main de fer qui me serre le cœur. Vois-tu, j'ai la
sensation qu'une catastrophe plane sur notre
maison !

Roger, malgré son apparente indifférence, avait
frissonné. Les paroles de sa mère devaient avoir
trouvé un écho dans ses propres pensées, car il était
tout pâle et une légère sueur de peur ou d'angoisse
mouillait son front assombri.

— Non ! non ! balbutia-t-il. Ce n'est pas possible. Il ne peut rien arriver... nul ne sait où est Jean...

Une voix jeune et fraîche, derrière lui, coupa sa phrase :

— Non, nul ne sait où est Jean Valmont, mais il reviendra, il faut l'espérer !

Roger se tourna vers Eliane qui entrait, un peu hébété par sa soudaine apparition et par le ton bizarre de son exclamation.

Leurs regards se croisèrent, vif et pénétrant chez la jeune fille, hésitant et indécis chez le fiancé.

Elle se mit à rire ; mais son rire, contrairement à son habitude, était plus ironique qu'espiègle.

— Allons, pauvre Roger, remettez-vous ! Vous êtes tout troublé.

Ces simples paroles semblèrent cingler Croix-mare. Il se raidit et retrouva son calme.

— Très troublé de vous voir, en effet, fit-il, redevenant complètement maître de lui. Il est près de onze heures du matin et je n'ai pas encore eu le bonheur de vous apercevoir aujourd'hui... Vous n'étiez pas au déjeuner et ma mère est allée en vain frapper à la porte de votre chambre. Où étiez-vous donc ?

Elle répondit sans embarras, trop habituée aux usages du monde pour laisser percevoir ses vérita-bles sentiments.

— J'étais au fond du parc... je me suis égarée pour revenir et j'ai joué à l'enfant perdue au milieu des bois, c'est très amusant, je vous assure !

Il sourit, subjugué par la grâce enchanteresse de la jeune fille.

— Quel dommage que je ne me sois pas trouvé sur votre passage !

— Qu'auriez-vous fait ?

— Je vous aurais suivie... comme les loups suivent les petites filles pas sages, puis j'aurais essayé de vous croquer...

— Grand merci !

— Oh ! avec des baisers... sans vous faire de mal ! Tenez, comme cela...

Il avait pris sa petite main et essayait de la porter à ses lèvres, mais une sorte de répulsion crispa le fin visage d'Eliane qui dégagea ses doigts.

Cependant, avec courage, elle donna mutinement le change :

— Je me sauve... pardonnez-moi, Roger, mais je ne serai jamais habillée pour le déjeuner, si je ne me dépêche pas.

Précipitamment, elle quitta l'appartement, pendant que Roger pensait tout bas, en la suivant des yeux :

« Qu'est-ce qu'elle a donc, ce matin, ma petite Eliane ? »

XII

LE FUSIL DU GARDE-CHASSE

La terre croulait par toutes les fentes du tombereau à moitié plein, pendant que lentement, mais d'un geste suivi et régulier, le jardinier et l'enfant s'efforçaient à coups de pelle d'en diminuer le tas branlant.

Calmes et paisibles, les chevaux allongeaient leurs cols luisants pour essayer de saisir avec les dents l'herbe fraîche qui poussait si abondamment autour d'eux.

Debout, près des bêtes, caressant et claquant de la main les croupes soyeuses, le cocher leur parlait d'une voix amicale, haute, traînant un peu.

Gens et bêtes réunis dans la clairière concouraient de concert à exécuter l'ordre que Roger Croixmare avait donné de combler le vieux puits.

Une voix joviale qui sonna à l'orée du bois fit lever la tête aux travailleurs.

— Eh bien ! les amis ! Ça va, l'ouvrage ?

Ils reconnurent Morvan, le garde-chasse, qui, le fusil en bandoulière, s'avançait vers eux.

— Comme ci, comme ça ! répondit à sa question le père Etienne. Il en faudra des tas et des tas pour boucher tout.

— Oui, c'est profond !

— Une trentaine de mètres au moins.

— Et combien déjà avez-vous versé ?

— Heu... deux tombereaux à peine. La voiture ne peut pas approcher à cause des pierres qui entourent le puits... Il faut manœuvrer deux fois la terre... ça augmente le travail !

— Je crois bien !

Morvan s'était avancé vers le puits. La paume des mains posées sur le rebord circulaire, il se penchait en avant et, curieusement, sondait l'orifice.

— Brrr ! C'est noir, là-dedans.

Le petit Pierre se mit à rire.

— Ça ressemble à la maison du diable...

— Blague pas avec ça, mon garçon ! interrompit le jardinier superstitieux. La tombe d'un traître doit être une succursale de l'enfer !

— Ah ! mince d'idée ! fit le gamin railleusement, car la mine du père Etienne l'amusait.

Le vieillard fronça le sourcil en haussant les épaules, mais le garde-chasse, qui ne croyait pas à toutes les balivernes racontées sur le vieux puits, sourit à l'enfant.

— Gamin, va ! Si tu allais voir au fond ce qu'il y a pour nous le raconter ensuite.

En même temps, il se penchait en arrière pour donner une bourrade affectueuse au petit. Mais dans ce geste son fusil se déplaça, quitta l'épaule, glissa le long du bras et, avant que le garde eût fait un mouvement pour retenir l'arme qui s'échappait, elle disparut au fond du trou.

— Ah !

— Mon fusil !

— Oh !

Ce fut pour les quatre interlocuteurs une minute de consternation.

Le garde, surtout, était navré.

— Mon fusil !... Un fusil tout neuf qui a coûté douze cents francs au patron.

— Quelle déveine !

— Bon sang de bon sang ! Qu'est-ce qu'on va me dire ?

Les autres regardaient, apitoyés.

— M. Roger sera mécontent...

— Vous serez sûrement mal reçu quand il saura.

— Probable !

— Le maître ne blague pas avec les outils qu'il nous confie ! Pour une scie édentée ou une faux mal essuyée, il fait un chambard de tous les diables !

— Pour un fouet que j'avais égaré l'autre jour, il m'a emballé d'une sale façon !

Le garde-chasse écoutait ces exclamations entrecroisées d'une air plus désolé encore.

— Aussi, pour mon fusil, qu'est-ce que je vais prendre ! s'exclama-t-il piteusement.

— Pauvre monsieur Morvan ! fit tristement le gamin qui affectionnait tout particulièrement le garde.

Les hommes se regardaient, gênés, ne sachant pas traduire l'ennui qu'ils éprouvaient de cette aventure.

Après un silence de réflexion. Morvan hasarda timidement une proposition.

— On pourrait peut-être descendre là-dedans ? fit-il en regardant le trou béant. Ce n'est pas si profond qu'on ne trouve la base...

Mais le jardinier protesta :

— Non ! bien sûr que non ! Ce serait dangereux... ce n'est peut-être plus solide, et on ne sait pas ce qu'il y a au fond.

Le garde, malgré lui, eut un sourire.

— Oh ! je n'ai pas peur, moi ! Ce ne sont pas des histoires qui peuvent m'arrêter.

— Vous avez tort.

— Peut-être, mais je vous assure que si j'avais une bonne corde...

— Vous ne réussiriez qu'à vous rompre le cou !

— Il faudrait une échelle.

— Il n'y en a pas d'assez longue.

— Mais avec une corde, voyons...

— Si elle casse !

— Et comment remonteriez-vous ?

— Vous me tireriez.

— Pas commode, mais ce n'est pas impossible... la maçonnerie est solide, même qu'on aura du mal à la démolir.

— On pourrait peut-être attacher plusieurs échelles bout à bout... des échelles à fruits, par exemple : il y en a qui ont au moins dix mètres de long.

— Evidemment, c'est faisable, et, pour plus de prudence, on vous attacherait à une bonne corde. Seulement, vaux mieux prévenir le patron.

Le garde eut un geste de désespoir.

— Je ne veux pas perdre ma place pour un fusil !

— Mais rien ne prouve qu'on vous renverra pour si peu.

— M. Roger est si vif qu'il faut s'attendre à tout.

— Dans tous les cas, faut pas descendre là-dedans sans que le patron soit averti. Vous avez des gosses, Morvan, faut penser à tout...

Le vieux jardinier réfléchit un moment.

Debout, le dos voûté, les cheveux blancs tombant presque jusqu'aux épaules, le menton appuyé sur ses deux mains réunies au manche de la pelle, il évoquait à son insu le personnage classique des vieilles estampes du siècle dernier.

Tout à coup, il releva la tête et d'une voix qu'il s'efforçait de rendre persuasive, il dit :

— Savez-vous ce que je ferais, Morvan, si j'étais à votre place ?

Le garde secoua la tête.

— Non. Que feriez-vous ?

— J'irais trouver Mlle Eliane et je lui expliquerais mon embarras.

L'autre eut une exclamation de surprise.

— Ah ! quelle idée !

Mais le vieux insista :

— Allez-y, Morvan, croyez-moi. Mlle de Surtot est très bonne et très affable... Vous lui direz combien vous craignez la colère de M. Roger... Je suis sûr qu'elle s'intéressera à vous et vous tirera d'affaire... Qu'elle parle pour vous auprès du patron et celui-ci n'osera plus s'emporter de crainte de déplaire à sa fiancée... Voilà, moi, ce que je ferais si j'étais à votre place.

Les autres approuvèrent très vite le vieux, et Morvan qui hésitait d'abord, de peur de compliquer encore les choses, finit par convenir qu'effectivement c'était le meilleur parti à prendre.

— Allez-y tout de suite, conseilla le gros cocher.

— Plus tôt vous agirez, plus tôt vous serez libéré de vos inquiétudes.

— Et comme ça, le diable n'aura pas le temps d'emporter votre fusil en enfer, ajouta le gamin qui redevenait gai en voyant que le garde-chasse allait peut-être ne pas avoir d'ennuis.

Morvan sourit.

— Vous avez raison, mes amis, j'y vais de ce pas. Il les quitta après leur avoir recommandé de ne pas reprendre leur besogne avant son retour.

— Ne jetez plus de terre dans le puits ; il ne s'agit pas d'enterrer mon fusil !... Sûrement que M. Roger va trouver un moyen pour le sortir de là !

Et, à grandes enjambées, il s'éloigna dans la direction du château.

Quelques minutes après, il y arrivait.

La cloche du déjeuner de midi n'était pas encore sonnée et Eliane, qui venait de faire rapidement sa toilette, se tenait dans la véranda aux carreaux de verres multicolores.

Auprès d'elle, Roger s'était assis.

Un peu de gêne semblait paralyser l'entretien des fiancés. Eliane, soucieuse malgré elle, contrairement à son habitude, ne répondait que du bout des lèvres aux paroles de Roger et celui-ci qu'ennuyait le mutisme de la jeune fille ne se mettait pas en frais pour essayer de rompre la glace.

Quand Morvan parut sur le seuil de la véranda qu'un domestique lui avait indiquée comme lieu de retraite de Mlle de Surtot, il s'arrêta, extrêmement désappointé de voir qu'elle n'était pas seule, mais qu'au contraire celui qu'il redoutait tant, pour le moment se tenait auprès d'elle.

En l'entendant arriver, les deux jeunes gens avaient tourné la tête de son côté.

— Que cherchez-vous, Morvan ? interrogea Roger du ton hautain qui lui était habituel avec ses employés.

Morvan roula sa casquette entre ses doigts sans répondre. Le pauvre garçon cherchait un prétexte difficile à trouver.

— Eh bien ? fit Roger à nouveau.

Un peu d'impatience durcissait sa voix et le garde, vivement, se décida à parler. Mais quelle incohérence d'abord dans ses explications :

— Pardonnez-moi, monsieur Croixmare, balbutia-t-il. C'est à cause de... du vieux puits...

Comme l'autre s'était arrêté, il questionna brièvement, la voix rauque :

— Quoi encore ?

Son embarras augmentant devant l'air nerveux du maître, l'autre continua :

— Voilà... au vieux puits... dedans... au fond...

Roger s'était dressé brusquement.

Il était blême.

— Quoi ?... au fond ! Qu'est-ce qu'il y a ?

Un frémissement le secouait des pieds à la tête pendant qu'avec des yeux affolés il fixait anxieusement Morvan.

— J'ai laissé tomber mon fusil, bégaya le garde en courbant piteusement la tête.

— Hein ?

— Le fusil que Monsieur le comte m'avait acheté récemment.

— Votre fusil !

— Oui.

— Que lui est-il arrivé ?

— Il est au fond du puits.

Roger passa la main à plusieurs reprises sur son front moite.

De l'égarement se lisait encore sur sa physionomie, mais, peu à peu, ses traits se détendirent.

A deux pas de lui, Eliane, les sourcils froncés, le fixait d'un regard bizarre, profond et scrutateur au possible... on eût dit que de la peur ou de l'horreur en assombrissait l'éclat !

Comme Croixmare, tout à ses pensées, ne parlait pas, Morvan se risqua à demander :

— Si Monsieur le comte le permet, je vais descendre jusqu'à l'étang et prendre, sur le bateau, la longue corde de halage.

— Pour quoi faire ? fit vivement le jeune homme.

— Pour descendre au fond du puits...

Avant même que le garde-chasse eût achevé sa phrase, Roger avait crié :

— Je vous le défends !

— C'est pour mon fusil...

— Tant pis pour vous !

L'homme balbutia, gêné par le ton tranchant du maître :

— J'aurais pu essayer, monsieur Roger.

— Non ! non ! En voilà, une idée ! Je vous le défends !

S'apercevant de sa violence, le comte reprit, plus doux :

— Obéissez-moi, Morvan, c'est pour votre bien... Vous risqueriez de vous rompre les os.

— Dame !... J'aurais fait attention.

— Non ! brisons là-dessus... Tant pis pour votre fusil ! Il ne fallait pas le laisser tomber.

Eliane, qui avait jusque-là gardé le silence, intervint avec vivacité :

— Pourquoi refusez-vous à cet homme l'autorisation qu'il vous demande ? Le puits n'est pas si profond qu'on ne puisse parvenir à sa base !

— Mais un accident est à craindre.

— Avec des précautions...

— Non, je ne veux pas que quelqu'un s'y risque.

— Cependant, ce pauvre Morvan ne va pas perdre son fusil... S'il peut rentrer en sa possession, cet objet représente pour lui une forte somme à débourser.

— Eh bien, je lui en achèterai un autre.

Il parlait brièvement, comme importuné par l'insistance de la jeune fille.

Celle-ci sourit, un peu railleuse :

— Quelle générosité, Roger ! Vous dépensez douze cents francs, aujourd'hui, bien facilement... mais, surtout, bien inutilement !

Décontenancé, le châtelain la regarda.

— Comment ? Que voulez-vous dire ?

— Je veux dire qu'il me paraît beaucoup plus raisonnable et plus normal d'aller chercher ce fusil là où il se trouve. Vingt mètres, trente même... ce n'est pas infranchissable !...

Et, s'adressant à Morvan :

— Vous avez une bonne corde, mon ami ?

— Sûr, mademoiselle, répondit le garde avec empressement. L'amarre du bateau est comme neuve.

Le brave homme avait pensé, à part lui, devant l'offre mirifique du châtelain :

« Méfiance !... si le patron me paie un fusil aujourd'hui, il regrettera demain... et comme il est assez *regardant,* il me le reprochera... Méfiance, mon vieux Morvan !... C'est un outil que tu pourrais p'têt ben payer trop cher. »

Aussi, tout content de l'intervention de la jeune fille, il insista :

— Et puis, j'ai une autre idée : si on n'a pas confiance dans la solidité de la corde, il y a les échelles...

— Il n'y a pas d'échelle assez longue, vous le savez bien, dit le maître.

— Pardon, excuse, monsieur. Il y a les échelles à

fruits qui servent pour les noix et pour les grands cerisiers de la ferme... C'est pas large, mais c'est long... dix, douze mètres, p'têt ben ! Avec trois comme ça, mises de bout en bout, on en verrait le fond, de ce fameux puits !

— Non, coupa le jeune homme, c'est impossible !

— Pas du tout, riposta Eliane tranquillement. C'est très faisable ; ce que dit ce brave homme me paraît tout à fait juste.

Le châtelain s'énervait visiblement. Il répéta, en hachant ses mots :

— Impossible !... Ne comprenez-vous donc pas que je suis responsable ?... Vous entendez ? responsable de mes gens ! Je ne peux autoriser une imprudence pouvant amener un accident grave... Dans ce cas, je vous le répète, je serais responsable... vous comprenez !

— Aussi je n'insiste pas, reprit Eliane très calme, devant son emportement. Je n'insiste pas pour que vous accordiez à Morvan l'autorisation qu'il vous demande.

Elle s'arrêta une seconde, puis, observant intensément le visage de son fiancé, elle continua, presque souriante :

— Mais, moi, Roger, je suis libre... entièrement libre ! Je viens d'avoir vingt et un ans et ne suis pas encore votre femme... Je n'ai aucune autorisation à demander et personne n'est responsable de moi... Ma tante, d'ailleurs, approuverait ma témérité... donc c'est moi qui descendrai dans le puits... voilà !

— Eliane !

Ce nom avait jailli comme un cri d'angoisse, un cri où il y avait tout l'amour du jeune homme pour sa fiancée, un cri où il y avait aussi de la terreur.

— Eliane !

Dominant son émoi, il fit un effort pour sourire.

— Eliane ! Je vous en prie !... Ne plaisantez pas ainsi, chère petite folle !

— Ce n'est pas une plaisanterie, répliqua la jeune fille sérieusement. J'ai réellement l'intention de tenter ce petit exercice acrobatique qui n'a rien de bien dangereux, je vous assure.

— Mais c'est fou !

— Vous oubliez que je suis une alpiniste très entraînée. Ma bonne tante, qui n'est pourtant pas très moderne par ailleurs, a la passion de la montagne et je lui dois, heureusement, mon éducation sportive. Il y a dix ans que je fais des ascensions autrement plus rudes que cette modeste descente de trente mètres.

— Oui, mais ce sont des excursions permises et coutumières... Tandis que cette promenade dans le fond d'un puits serait absolument ridicule.

— Oh ! je proteste !... Ce qui offre de l'intérêt et ce qui a un but véritable est autrement normal qu'un danger couru pour le seul plaisir de le courir.

— Eh bien ! justement. Ce vieux puits est dangereux, il pourrait s'effondrer.

— Allons donc ! C'est enfantin d'éviter cet accident... Vous exagérez le danger à plaisir... Au contraire, ça m'amusera ! Cela m'évoquera la descente au gouffre de l'Enfer... Ça va être très drôle !

Elle souriait, semblant se complaire à lire sur le visage de son fiancé ses plus fugitives expressions de déplaisir.

Celui-ci, en effet, avait peine à cacher son désarroi. A mesure que la jeune fille parlait, il se sentait décidé à tout plutôt que de la laisser descendre dans le puits maudit.

Affectant tout le calme dont il était capable, il demanda à Morvan :

— Est-ce que le comblement est commencé ?

— Oui, monsieur.

— Combien de tombereaux ?

— Oh ! plusieurs... trois pour le moins.

— Trois tombereaux ? calcula-t-il. Allons, le fond est un peu recouvert... assez pour que la vermine qui peut s'y trouver soit enterrée.

Et puis, ne fallait-il pas, avant toute chose, empêcher la jeune téméraire de mettre à exécution son ridicule projet ?

Après quelques secondes d'hésitation où il envisagea toutes les solutions, il décida enfin, s'adressant au garde-chasse :

— A vos risques et périls, Morvan ! Si vous y tenez, soit, allez-y... mais prenez toutes les précautions nécessaires.

Il continua, très maître de lui maintenant, à donner les instructions pour que les échelles, la corde de l'étang, tout fût rassemblé.

— Il est l'heure d'aller déjeuner, maintenant ; mais que tout soit prêt pour la descente... attendez deux heures, j'y serai. Je tiens à y assister !

— Moi aussi, ajouta Eliane.

XIII

DANS LE VIEUX PUITS

Autour des vieilles pierres de la margelle, près des tas de cordages et des échelles préparées, les serviteurs groupés restaient graves.

Ils avaient dégagé l'entrée du puits en coupant les ronces et les orties qui en défendaient l'approche, et le trou béant dressait sa gueule noire vers le ciel, comme un monstre vorace et redoutable.

Après avoir écarté soigneusement les pierres branlantes qui eussent pu se détacher durant la descente du garde-chasse et lui tomber sur la tête, les hommes faisaient, maintenant, glisser les longues échelles dont les montants, ajoutés bout à bout avec de solides cordes, la multipliaient d'une façon continue.

— Alors, Morvan, on est d'attaque ?

— Bah ! répondit le garde, évasif, on en a vu d'autres...

— Faut dire tout de même que la promenade n'est guère affriolante... c'est noir, pis qu'une cave...

— Ça n'est rien ! Le principal, c'est qu'il n'y ait pas de mauvais gaz dans ce trou-là... Enfin, puisque le papier a brûlé jusqu'au fond.

— Pardine, le feu ne pouvait que mieux brûler en allant rejoindre le diable qui habite là-dedans !

Petit Pierre essayait de rire, mais sa gaieté factice ne trouva pas d'écho auprès des deux jardiniers.

Seul, du groupe, Morvan affectait un air détaché et sifflait, bien que l'air morose de ses compagnons n'eût pour lui rien d'encourageant.

— Fichu travail ! marmonna le père Etienne quand la longue échelle fut en place.

— Le démon a un escalier d'honneur pour sortir de son trou, à présent, observa Pierre en se penchant sur l'orifice pour voir l'enfilade des barreaux échelonnés disparaître dans l'obscurité.

Mais Clément l'éloigna d'une bourrade.

— Sacré môme ! Vas-tu te taire !... C'est-y des choses à dire quand un des nôtres doit descendre là-dedans.

— Allons, vous en faites pas, fit le garde en allumant tranquillement une cigarette. Y a peut-être des rats ou d' la vermine dans l' fond, mais c'est sûrement tout ce que j'y trouverai.

— Y a aussi vot' fusil, Morvan ! reprit le gosse, toujours gouailleur. L' fantôme est armé, maintenant, faudrait p't-être ben que vous mettiez une cuirasse.

Personne encore ne releva la plaisanterie du petit Pierre et le silence tomba.

Ils attendaient, maintenant, l'arrivée du châtelain qui avait dit vouloir assister aux recherches du garde.

— Tenez ! les v'là ! signala bientôt celui-ci. La demoiselle, qu'est une crâne luronne, a tenu à venir aussi. A voulait-y point descendre elle-même chercher mon fusil ! Pour une chouette patronne, a promet d'être épatante.

— Oui, convint le père Etienne. Elle est ben avenante. Seulement, c'est jeune, c'est intrépide, ça se méfie pas. Faut pas traiter de radotage ce que nos pères disaient. Le vieux puits est point un lieu plaisant où venir se promener.

— Ah ! ben sûr ! concéda Clément. On doit pas rire de ce qu'on ne connaît pas !... Les légendes ont leurs vérités !

— Allons, intervint le garde. J' suis tout le temps dans le bois et j'ai jamais rien vu d'extraordinaire... même de ce côté. Nos pères étaient crédules... Aujourd'hui, avec l'instruction, on s'explique mieux les choses... Mais v'là le patron, parlons pas de ça, il n'aime pas qu'on jabote sur le vieux puits.

Un peu silencieux, les fiancés s'avançaient sous les grands pins.

Roger avait, malgré lui, le visage crispé dans son effort pour paraître calme. Plus encore que le résultat problématique de cette descente de Morvan, l'attitude d'Eliane, depuis la scène du matin, l'inquiétait.

Que signifiait cette insistance ?

Elle ne pouvait s'intéresser à ce point au fusil du garde, et ce n'était certes pas par raison d'économie qu'elle préférait qu'on le retrouvât...

Alors ?

Il se tourna vers la jeune fille marchant à son côté. Un rayon de soleil, perçant l'épaisse verdure, venait jouer à cet instant sur ses cheveux bouclés et les nimbait d'or.

Que se passait-il dans cette chère tête blonde ?

Soudain, une idée jaillit en son cerveau fatigué...

Une idée ! Comment ne l'avait-il pas eue plus tôt ? C'était si simple...

Aussi, lorsque les échelles furent solidement fixées à la margelle, il s'approcha du puits.

Morvan, assez ému malgré sa bravoure, s'apprêtait à descendre.

Sa lampe électrique, à la main, une longue corde fixée à sa ceinture, il allait poser son pied sur le premier échelon quand la voix de Roger retentit, nette et autoritaire :

— Attendez, Morvan.

L'homme s'arrêta...

— Décidément, je préfère y aller moi-même.

Et déjà le maître avait bondi sur les vieilles pierres et repoussait le garde pour prendre sa place.

Mais Eliane s'était approchée de l'ouverture béante avec autant de rapidité que son fiancé. En face de celui-ci, et très près, les yeux dans les yeux, elle articula d'une voix incolore :

— Je ne m'explique pas, Roger, ce que vous voulez faire... Pourquoi voulez-vous, *vous*, prendre la place de Morvan ?... Je ne comprends pas !

Que vit le jeune homme dans ce regard intense fixé sur le sien ? Quelle inquiétude ? Quel soupçon ? Ou, peut-être, simplement, quelle raillerie ?

— Soit ! dit-il avec un haussement d'épaules presque brutal. Allez-y, Morvan !

Et le garde obéit.

Lentement, il descendit...

Penchés sur la margelle, les assistants suivaient la lueur de plus en plus faible de sa lampe électrique...

Les pensées les plus diverses s'agitaient dans ces têtes réunies autour de ce trou sombre... mais nul ne songeait à les exprimer.

Un temps passa... qui parut très long. Puis les

secousses de l'échelle et le mollissement de la corde idiquèrent que l'homme remontait.

Il parut enfin...

Il sortit du trou, très pâle, oppressé par une frayeur qu'il ne cherchait même pas à dissimuler.

Et le groupe des curieux s'écarta, saisi d'une terreur irraisonnée devant la mine décomposée du garde.

Sorti du puits, Morvan, dont les jambes fléchissaient, s'assit sur le rebord de pierre de l'ouverture.

D'une main qui tremblait, il essuya machinalement la sueur qui perlait à son front.

— Eh bien! Morvan, qu'y a-t-il?

— Rien.

— Comment, rien? Que vous est-il arrivé?

— Rien... je n'ai rien trouvé.

— Qu'est-ce que vous dites?

— Mon fusil a disparu...

Il y eut un frémissement dans le petit groupe à cette déclaration.

— Que Dieu nous protège! balbutia le père Etienne en se signant.

Mais Roger Croixmare ne devait pas être superstitieux. Une vague expression d'étonnement avait bien, un instant, tendu ses traits, mais il s'était vite ressaisi.

Il soupçonnait autre chose et le dit carrément d'une voix nerveuse, pourtant.

— Allons, Morvan! ne racontez pas des bêtises! Vous n'avez pas osé aller chercher jusqu'au fond?

Le garde avait posé sa lampe sur la margelle. Il leva son visage encore effaré sur le jeune châtelain et montra ses deux mains ridées :

— Il n'y avait rien, monsieur Roger, affirma-t-il d'un air accablé.

— Je vous demande si vous avez osé descendre jusqu'au fond.

— Eh ! pardi ! je n'avais pas peur, moi !

Il cracha à terre, puis il se dressa et, d'une voix sourde, il expliqua :

— Je vous jure que je suis allé tout en bas... J'ai quitté l'échelle et marché dans la terre. J'ai regardé partout avec ma lampe, crainte que mon outil soit resté accroché ou bien qu'il soit un peu enterré... Rien ! Il n'y a rien ! C'est de la sorcellerie ! Mon fusil n'y est pas !

— Vous aurez mal cherché, mon garçon.

— Ou peut-être que vos yeux étaient brouillés par l'émotion, risque le petit Pierre.

Mais l'homme secoua la tête. Il commençait à retrouver ses esprits.

— Aussi vrai qu'il fait jour en ce moment, affirma-t-il avec force, j'ai regardé partout et mon fusil n'y était pas !

— Enfin, êtes-vous sûr qu'il soit bien tombé dans le puits, ce matin ?

— Ah ! pour ça, oui !

Et chacun joignait son affirmation à celle de Morvan.

Sûrement et sans qu'on puisse en douter, le fusil avait bien glissé dans le trou du vieux puits quelques heures auparavant, chacun en avait été témoin.

— Aucune terre n'a été jetée depuis ?

— Aucune, monsieur... aucune !

Ils étaient tous affirmatifs.

Roger risqua, enfin, une question qui le harcelait depuis quelques minutes :

— Comment est le sol au fond du puits ? De la terre ? de l'eau, des cailloux ?

— Au fond, monsieur Roger, c'est de la terre meuble qui remplit tout... la terre des tombereaux que nous avons jetée ce matin. Ni herbe, ni broussaille, ni humidité... c'est net et j'ai rien vu... rien.

Il répétait : « rien » avec une sorte d'égarement.

Le fait, lui-même assez mystérieux, et la vue de cet homme, courageux et solide habituellement, ainsi angoissé, jetaient une espèce de panique sur le groupe.

— C'est un mauvais endroit, dit un des serviteurs.

— Il a mauvaise réputation... après tout ce qu'on dit qui s'y est passé ! ajouta un autre.

— Y a du vrai ! murmura le vieil Etienne. Mon grand-père a vu, lui, le jugement du traître... et la bataille de la nuit... l'horreur de tout ça... Et ce que les autres ont vu après... les ombres... les revenants... y ne faut point dire trop vite que c'est des histoires.

Le châtelain les laissait dire. Au fond, il était heureux que l'affaire finît aussi simplement.

— Renonçons à retrouver votre fusil, Morvan. Je vous en achèterai un autre... Laissons cette histoire de côté... Le mieux est que chacun en mette un coup pour boucher ce puits infernal... lorsque ce sera fait, tout le monde sera tranquille et les revenants, s'il y en a, iront habiter un autre lieu ! Mes amis, à l'ouvrage ! remplissez ce puits le plus vite possible !... Et ne vous tourmentez pas trop au sujet de la disparition de ce fusil. Il est probable que quelqu'un, avisé de sa chute, est allé le quérir pour s'en emparer ou essayer de troubler les cervelles... J'en paierai un autre à Morvan, voilà le résultat de cette fumisterie...

114

Il se mit à rire, mais aucun des assistants ne pargagea sa gaieté.

Les braves gens qui écoutaient parler le maître ne croyaient pas du tout à une fumisterie. Ils n'étaient pas sûrs, non plus, que boucher le puits fût une solution... au contraire ! Si on avait pu lire dans leurs pensées, on aurait vu qu'ils étaient persuadés que la disparition du fusil avait une origine diabolique.

— C'est un avertissement... les esprit sont mécontents qu'on bouche le vieux puits... Si la funeste besogne continue... faut s'attendre à tous les malheurs !...

Soudain, un cri retentit, sourd et affolé, poussé par Croixmare.

— Eliane !

La jeune fille avait écouté, en silence, tout leur colloque. Elle avait entendu les explications du garde et vu leurs réactions sur le visage de son fiancé.

Avec stupeur, elle avait constaté la facilité de celui-ci à abandonner les recherches.

Croyait-il donc, lui aussi, à l'existence des revenants qu'il ne proposait pas une nouvelle descente dans le vieux puits ?

Eliane était vaillante, complètement dénuée de superstitions. Une révolte fut en elle devant la solution adoptée par Roger.

Profitant du désarroi et du trouble de tous, elle saisit la lampe de poche laissée par le garde et, enjambant la margelle, elle descendit, légère et rapide.

— Eliane !

Ce fut ce cri, poussé par le châtelain, quand il

s'aperçut de l'acte de la jeune fille, qui fit sursauter tous les assistants.

— Eliane !

Elle ne répondit pas, mais Roger, qui s'était précipité vers l'ouverture béante du puits, voyait la lueur de la petite lampe se perdre lentement dans l'ombre du trou.

L'intrépide jeune fille était partie sans corde, sans protection. Elle descendit vite, en vraie sportive, courageuse et sûre de ses mouvements.

Tout à coup, un cri retentit :

— Ah !

Un cri terrible !

Un cri enflé par l'écho qui monte des profondeurs de la terre !

Un cri glaçant de terreur tous ceux qui, là-haut, attendaient.

— La malheureuse !

Que s'était-il donc passé au fond du puits sinistre ?

Un accident ?

Une des échelles s'était-elle détachée ? Ou plutôt, presque arrivée au but, la jeune fille avait-elle glissé sur l'un des derniers échelons et, tombant à la renverse, poussé ce cri affreux ?

— Eliane !

Aucune réponse !

Aucun autre cri !

C'était le silence absolu...

XIV

ÉNIGME !

— Eliane !

— Mademoiselle de Surtot !

— Le malheur !... le malheur est sur nous !

Un cri d'angoisse et d'horreur, un appel désespéré avait répondu au cri déchirant jailli de l'ombre.

Puis... le silence.

Un silence poignant... pendant lequel le maître et les serviteurs, unis dans la même terrible inquiétude, épiaient anxieusement une réponse à leurs appels.

Mais rien... rien que ce lugubre silence.

Quelques timides réflexions leur vinrent aux lèvres.

— Elle ne répond pas !

— Elle n'a peut-être pas la force... si elle est blessée.

— Blessée et inanimée, alors.

— Ou enlevée par le diable, murmura le gosse qui, cette fois, ne riait plus.

En dehors de son appel déchirant, le châtelain n'avait rien dit. Pâle, décomposé, une horreur était en lui. Cependant, affolé, sans hésiter, sans réfléchir, il avait enjambé la margelle et commençait la périlleuse descente.

Inconscient de son propre danger, il s'enfonçait dans l'ombre humide... il arrivait jusqu'au dernier échelon.

Là-haut, les hommes se taisaient encore, guettant chaque bruit, chaque secousse de l'échelle.

Soudain, des exclamations étranges et confuses leur parvinrent, déformées par la résonance du puits, incompréhensibles.

Et parce qu'on parlait en bas, les serviteurs respiraient mieux.

— On entend des voix, fit le père Etienne tout bas.

— Il a retrouvé sa fiancée, observa un autre, sur le même ton.

— Oui, il parle...

— Avec la demoiselle, pardine !

— Enfin, heureusement, elle vit toujours.

— Elle doit être blessée, tout de même... Tout à l'heure, elle ne parlait pas.

— J'ai eu chaud, fit Clément en s'épongeant le front.

— Oui, moi aussi, dit Morvan d'un air abattu, je commençais à croire à tout ce qu'on raconte sur le vieux puits... C'est tellement drôle pour mon fusil !

Subitement, ils dressèrent l'oreille et se penchèrent davantage vers l'orifice.

Une longue plainte semblait sourdre des profondeurs de la terre.

Un frisson courut sur ces hommes ; toutes les histoires de revenants les hantaient.

— On parle... mais c'est pas naturel... on dirait...

118

Celui qui avait prononcé ces quelques mots n'osa pas achever sa pensée.

Cependant, l'échelle gémissait... on remontait.

C'était Roger...

Et Roger seul !

Roger blême, hagard... le visage décomposé.

Roger parlant *tout seul*... ou plutôt bégayant :

— Eliane !... Partie !... Eliane a disparu ! Comme le fusil... disparue... le puits est vide.

Le malheureux semblait devenu fou.

Cette fois, tous reculèrent, épouvantés, comme s'ils s'attendaient à voir sortir du puits tous les démons de l'enfer.

Les superstitions renaissaient...

Le vieux puits se vengeait de ce qu'on eût osé profaner ses silencieuses parois.

En voulant le combler, avait-on réveillé l'âme maudite du traître qui reposait au fond et ne voulait pas être ensevelie ?...

Déjà, la douce Eliane avait payé sa juvénile hardiesse ! Happée par les vieilles pierres, elle ne reviendrait pas... Les malheurs allaient fondre sur les Houx-Noirs.

Car personne ne contestait ce que le châtelain annonçait si dramatiquement.

Eliane avait disparu, elle aussi !

Tout à l'heure, pour le fusil de Morvan, on avait pu douter. C'était tellement inattendu et invraisemblable.

Mais puisque le fusil avait pu s'éclipser mystérieusement et comme enlevé par une main invisible, rien ne s'opposait à ce que la jeune fille eût été emportée de la même manière par le même esprit malfaisant.

Ce fut Morvan qui, le premier, se ressaisit.

— Voyons! voyons! Tout ça, c'est pas possible!... Un fusil peut disparaître, mais pas un corps en chair et en os!... Jamais les journaux n'ont raconté de pareils événements!... De temps en temps, il est bien parlé de sorcelleries et de maisons hantées... ce sont des choses inertes qui sont projetées ou détruites, mais jamais encore aucune personne ne s'est volatilisée!

« J'y retourne voir! décida-t-il bravement. Tout de même, faut pas que quelqu'un se f...te de Morvan! Il va montrer ce qu'il a dans le ventre, le vieux puits! Mon fusil, passe encore, mais la demoiselle, c'est autre chose!

Machinalement, l'homme saisit une pioche et la mania d'une main puissante. C'était une arme comme une autre...

— S'il faut se battre, ça peut servir! observa-t-il, sans se rendre compte que ses paroles donnaient corps à la légende.

Il enjamba la margelle.

Avant de descendre, il jeta un coup d'œil sur le groupe de copains apeurés.

Le châtelain, un peu plus loin, le dos contre un arbre, la tête dans ses mains, semblait ne rien voir, ne rien entendre.

Le coup l'avait assommé. Il y avait de l'épouvante dans ses yeux fixes et de la terreur sur toute sa personne.

Morvan haussa les épaules. Son sang-froid revenu, il estimait qu'il y avait mieux à faire qu'à se lamenter.

— Allons, vous autres! tas de froussards! criat-il, agacé de leur couardise. Ne restez pas immobiles comme des bûches! Allez chercher du renfort... Un brancard, un cordial, des lanternes d'écurie!

Aidez-moi, au moins ! Je vais vous la remonter, moi, la petite patronne.

Et, fort de son courage, de ses larges épaules, de ses membres solides qui ne craignaient personne à la lutte, le garde enjamba à nouveau la margelle.

Pendant que le petit Pierre courait au château, les autres serviteurs se rapprochèrent du puits.

La fermeté de Morvan leur imposait et ils le regardèrent disparaître.

Bien sûr qu'il allait remonter la demoiselle ! Elle ne pouvait pas être ailleurs que dans le puits !

Quelques minutes passèrent... puis, Morvan reparut.

Il était seul.

D'Eliane, il n'avait trouvé aucune trace. Cependant, bravement, il essayait d'expliquer la chose.

— On n'y voit goutte là-dedans, je n'ai plus ma lampe. Faut attendre les lumignons réclamés. Sûrement qu'après on saura ce que tout ça veut dire, il n'y a rien d'inexplicable au jour d'aujourd'hui !

Personne ne lui répondit. Ils avaient senti, tous, qu'il parlait avec moins d'assurance et seulement pour ne pas paraître avoir peur.

Enfin, les lanternes arrivèrent.

Petit Pierre avait répandu l'extraordinaire nouvelle.

— Mlle de Surtot avait disparu dans le puits !

Le chauffeur Bénédict, un solide gaillard, était venu se joindre au groupe des sauveteurs ainsi que Clovis, l'aide-jardinier, un blessé de guerre qui n'était pas des plus costauds, mais qui, en revanche, n'avait pas froid aux yeux.

Mme Croixmare et ses deux invitées, la mère et la tante d'Eliane, prévenues en hâte, arrivaient, atterrées, ne sachant pas encore ce qui s'était passé, mais déjà toutes en larmes.

Cependant la période de stupeur et d'effroi passée, tout le monde s'agitait, plein de bonne volonté.

Chacun se rendait compte que toute minute qui s'écoulait enlevait une chance de retrouver la jeune fille en bon état. Car, pour tous les nouveaux arrivés, il ne pouvait s'agir que d'un accident : l'intrépide fiancée gisait blessée au fond du puits, punie de son audacieuse témérité par une chute stupide.

— Monsieur Roger, nous avons de la lumière maintenant, on va y voir clair. Nous y allons, Morvan et moi...

Le garde, une fois encore, était sur l'échelle, Bénédict le suivait.

Roger, faisant un effort, se leva et descendit à son tour.

Les fortes lanternes éclairaient crûment la maçonnerie humide et verdie où ne se voyait nulle fente, nulle excavation. En haut, il y avait un peu de végétation, mais ensuite les parois étaient lisses.

Vers le niveau de la troisième échelle, une trace verticale dans la moisissure verdâtre du mur pouvait indiquer la chute d'un corps tombé en *frottant* la surface moussue.

Mais en bas, rien ! Pas d'empreinte des petits pieds d'Eliane... pas de trace d'un corps qui y serait tombé.

Les lanternes éclairaient la terre fraîchement jetée, aucun trou, aucune ouverture ne se voyait... rien où pût se cacher un fusil... nul recoin où un corps eût pu disparaître !

Les trois hommes examinèrent la maçonnerie,

pouce par pouce, projetant la lumière sur chacune des grosses pierres verdies.

Rien !

Aucune ouverture, aucun indice de porte, ni de trappe...

Des pesées exercées sur les murs, en plusieurs points, n'eurent aucun résultat. Il n'y avait aucune erreur possible... aucune hallucination... le sinistre vieux puits avait happé sa proie... sa proie vivante de jeunesse en fleur... Il la gardait tragiquement !

XV

EN PLEIN MYSTÈRE

Il fallut se rendre à l'évidence.

Après avoir encore, pendant un temps qui parut interminable à chacun, poursuivi leurs recherches infructueuses, les trois hommes durent se décider à remonter les mains vides.

Leur retour acheva de consterner tous ceux qui attendaient si anxieusement. Mme Croixmare et Mlle de la Brèche, ne pouvant plus retenir les larmes qu'elles avaient courageusement refoulées jusque-là, unissaient leurs lamentations douloureuses à celles de la mère désespérée.

Folles de terreur et de chagrin, les trois malheureuses restaient debout, près du vieux puits, incapables de s'éloigner de l'endroit où l'on affirmait que l'enfant chérie avait disparu.

Roger, replongé dans une idée fixe qui le dévorait, semblait pétrifié.

Et plus encore que le chagrin, ce qui pesait sur tout le groupe des assistants, c'était la terreur !

Une terreur folle, irraisonnée, inexplicable.

La peur devant l'inconnu... devant le mystère affolant.

Chacun voyait l'événement selon son tempérament.

« C'est le diable ! », pensait le petit Pierre.

— L'âme du traître, murmurait le père Etienne.

— Le puits se venge, on n'aurait pas dû essayer de le combler, se répétait Clément.

Morvan, qui ne croyait pas à toutes ces balivernes, restait abasourdi.

— Une si belle jeunesse ! Mais, bon sang ! comment ça peut-il arriver ?

« Dieu nous punit de la dureté de Roger pour Jean Valmont », pendait la vieille dame, pleine de remords...

Et tous d'être terrifiés, car une seule chose était vraie :

Le puits maudit gardait sa proie.

Et cette certitude devenait de minute en minute si oppressante, si tragique, que quelqu'un, pour rompre le sinistre silence, murmura :

— Il faudrait prévenir la police.

— Oui, il faut aller chercher les gendarmes, répondit vivement un autre.

Et ce fut presque un soulagement, comme une palpitation d'espoir qui galvanisa chacun. Dans ce besoin, un peu enfantin, de se raccrocher à une force organisée connue, à une force publique dont le pouvoir apparaissait illimité, il y avait un véritable réconfort.

Il semblait que devant cette réalité positive, le mystère allait s'évanouir.

A ce mot de police, Roger avait eu une brève crispation de son visage défait.

— Quoi ? les gendarmes ? le parquet ? les enquêtes ? Non, pas cela ! pas cela !

Cependant les serviteurs insistaient.

Devant Roger, hésitant mais silencieux, chacun approuvait cette idée, et même les trois vieilles dames semblaient accrocher un vague espoir dans cette venue de la police.

L'espace d'une seconde, Roger revit le fond du gouffre.

Rien ! il n'y avait rien ! On ne retrouverait peut-être jamais Eliane... ni le fusil... ni rien !... On ne pourrait rien trouver d'autre !

Alors, il consentit.

Et même, tandis que Clément s'éloignait d'un pas lourd, se dirigeant vers les écuries pour seller un cheval, afin d'être plus vite au chef-lieu de canton, Roger le rappela :

— J'irai moi-même, Clément. Je prendrai l'auto, ça ira plus vite.

Sur la route, le jeune homme retrouva un peu de tranquillité.

La certitude que le fond du puits était normal, semblait lui donner un étrange stimulant.

Malgré son éducation et son instruction, le châtelain croyait-il donc, lui aussi, à toutes les légendes bâties sur le sinistre endroit ?

Pourquoi se répétait-il avec une si amère satisfaction :

« Le vieux puits ne trahira jamais son mystère... aucun de ses mystères ! »

Mais alors l'image d'Eliane, sa fiancée adorée, l'image d'Eliane à jamais perdue, se dressait devant lui et cette brève minute de détente s'achevait en désespoir.

Ce fut dans cet état de trouble intense et douloureux qu'il arriva à la gendarmerie. Le brave Bénédict, moins atteint par le chagrin, mais davan-

tage par la terreur, n'était guère plus d'aplomb que
son maître.

Aussi le gendarme qui reçut leur première déposition, n'y comprenant rien, alla, avant toute
chose, chercher son brigadier.

Celui-ci se fit répéter les explications déjà données : le fusil du garde-chasse, disparu, introuvable !... La jeune fille qui descend dans le puits et
qui ne revient pas.

— Voyons, monsieur Croixmare, insistait le
brigadier, ce n'est pas possible... vos hommes ont
eu peur... On a raconté tant d'histoires sur votre
puits !... Ils n'ont pas été voir jusqu'au fond ?

— Moi-même je suis descendu deux fois, brigadier... deux fois avec des lanternes ! Bénédict que
voilà est descendu également... Il n'y a rien... rien !

Et Roger, les yeux fixes, répétait :

— Rien !... plus rien !

Le brigadier, brave homme, n'insista pas. Il
savait qu'il ne faut pas contrarier les gens émus...
ceux qui, pour une raison ou une autre, ont perdu
la tête...

Et, pensant, lui aussi, à mettre sa responsabilité
à couvert :

— L'affaire me semble *conséquente,* monsieur
Croixmare, dit-il. Il est de mon devoir, présentement, d'en avertir le parquet. Je vais de ce pas
téléphoner à Guingamp.

— Bien, murmura Roger, la tête vide.

— Je vais téléphoner, mais le parquet ne pourra
se transporter à votre domicile que dans la journée
de demain. Donc, vu les circonstances... particulières, et la *nouveauté* de la situation, je pense
conséquemment qu'il faut faire garder le lieu du...

Il allait dire « du crime », par habitude professionnelle, mais il se reprit à temps :

— Le lieu de l'accident. Deux de mes hommes vont aller avec vous... Même que je vais moi-même vous suivre là-bas et me rendre compte...

Mouche bourdonnante, un peu sceptique, il ajouta, plein de bienveillance :

— Allons, monsieur Croixmare, y a rien à craindre, croyez-moi, ça s'arrangera, tout ça... Y a eu erreur, sans doute, y a eu erreur !

. . . .

Le juge d'instruction arriva dans la matinée du lendemain.

Important, pénétré de sa valeur, et surtout désireux de ne pas compromettre sa situation dans une histoire invraisemblable, il venait aux Houx-Noirs sans enthousiasme.

L'affaire, aux premiers mots, lui avait semblé inextricable et les divers interrogatoires qu'il avait fait subir aux châtelains et aux serviteurs de la maison l'avaient affermi dans cette conviction qu'on ne pourrait rien tirer au clair.

Quelle créance accorder aux dires de tous ces gens, épuisés visiblement par une nuit d'insomnie et non moins visiblement affolés par une terreur inexplicable et mystérieuse ?

Les constatations matérielles n'apportaient aucun éclaircissement. De nouvelles recherches, de nouvelles descentes dans le puits maudit ne donnaient aucune précision.

Le mieux, dans cette affaire qui semblait ne devoir jamais aboutir, était au point de vue de

M. le Juge d'instruction, de n'en pas garder la responsabilité.

Aussi se hâta-t-il, aussitôt que les premières constatations furent faites, de téléphoner à Paris. Il vint, ensuite, avertir Roger, fort aimablement, que son rôle étant, pour le moment, terminé, il avait demandé Louis Manzin, le célèbre et subtil détective. Celui-ci arriverait le lendemain.

Quant à lui, il prenait congé du châtelain, en attendant le fait nouveau qui lui permettrait de poursuivre l'affaire...

Le vieux puits. 5

XVI

UN POLICIER A LA HAUTEUR

Louis Manzin, jeune ambitieux, déjà connu et réputé comme adroit limier, se révéla plein de zèle.

Il devait à sa propre réputation de se montrer à la hauteur des circonstances ; or, le mystère même qui entourait la disparition de Mlle de Surtot faisait de cette affaire un cas intéressant. Les difficultés à vaincre, le manque de piste sérieuse, la sinistre réputation du vieux puits, tout excita au plus haut point l'intérêt du détective.

Il lui parut que, si cet imbroglio se dénouait en fin de compte, par ses soins, ce serait un brillant résultat et l'avancement dans une carrière qui promettait d'être belle.

Aussi ne négligea-t-il rien pour s'assurer toute la publicité désirable et, en premier lieu, pour provoquer les *indiscrétions* de la presse.

Dès son arrivée, il se rendit sur les lieux du mystère, que surveillaient toujours, impassibles et somnolents, les deux braves gendarmes.

Roger Croixmare, ainsi que Morvan, Bénédict et le vieil Etienne, les principaux témoins de la disparition d'Eliane, l'accompagnaient.

Le châtelain achevait de lui expliquer avec

autant de précision que le lui permettait son trouble, tout le déroulement des événements, depuis la chute du fusil jusqu'au moment présent.

Et la première chose que le détective put noter sur son calepin fut que le maître de maison, avec des efforts visibles pour maîtriser son émotion, laissait néanmoins paraître une certaine incohérence dans ses récits... De là à croire qu'il semblait glisser sur certaines questions, il n'y avait pas loin.

« Il sera difficile de savoir l'exacte vérité, avec ce bonhomme-là, pensa-t-il. Il va être nécessaire, évidemment, d'interroger séparément tous les gens d'ici et de faire ensuite les recoupements indispensables. »

— Le puits est gardé par la gendarmerie depuis quel moment ? demanda-t-il à haute voix.

— Depuis le soir même de l'accident, répondit Roger Croixmare. Je suis allé moi-même prévenir le brigadier, à la fin de l'après-midi.

— Et puisque vous me dites, monsieur, que vous êtes allé vous-même au chef-lieu de canton, le puits est-il resté sans surveillance pendant votre absence ?

— Je ne peux pas préciser... Bénédict, vous rappelez-vous ? dit le châtelain.

— Dame ! non ! Monsieur sait bien que je suis allé à la gendarmerie avec lui. Je n'étais donc point ici, pendant ce temps.

— Et vous, Etienne ?

— Pour moi, monsieur, je ne me suis guère éloigné... Le temps d'aller jusque chez nous boire une bolée... fallait ben se r'mettre un brin, avec toutes ces émotions...

— Et auparavant ? reprit Louis Manzin. Je veux

dire avant la disparition de Mlle de Surtot ?... juste après la chute du fusil ?

— Pour ça, oui, se hâta de répondre le garde-chasse. C'est sûr que l'endroit est resté seul pendant que je suis venu parlementer avec monsieur, qui ne voulait pas me laisser descendre dans le puits... Les autres étaient allés déjeuner...

— Pourquoi donc cette interdiction ? interrompit le détective.

— Simple mesure de prudence, répondit Roger. Le puits est très profond, très sombre et j'ignorais exactement son état. Il pouvait être très délabré et présenter de sérieux dangers pour Morvan, qui voulait y descendre... Bref, j'hésitais, moi, qui ai la responsabilité de mes gens.

— Oui, je comprends... En somme, entre la chute du fusil et les premières recherches, il s'est écoulé combien de temps ?

— Deux heures environ... Je me rappelle ceci très bien, parce que Morvan est venu me trouver au moment où j'allais me mettre à table et que j'ai donné des ordres pour tout préparer, afin de commencer l'exploration après le déjeuner.

Le détective, impassible, nota sur son calepin :
« Puits resté deux heures sans surveillance avant les recherches devant témoins. *Quelqu'un aurait-il eu intérêt* à faire disparaître le fusil, pour frapper les imaginations, en utilisant les fâcheuses légendes qui courent à son sujet ? »

Il s'était cependant approché de la vieille maçonnerie.

Penché sur la margelle, il essayait, à l'aide d'une forte lampe électrique de poche, de percer les ténèbres et de scruter le fond du puits.

Mais le faisceau lumineux s'accrochait à des

broussailles, aux branches d'un petit arbuste poussant entre les pierres, et le regard ne pouvait aller très loin.

— Il faudra enlever tout ça, dit-il. Voulez-vous, monsieur Croixmare, donner des ordres pour faire nettoyer les murs intérieurs de toute cette végétation qui nous gênerait pour nos recherches ?

— Bien, dit Roger qui partit avec le garde et le chauffeur pour donner les indications nécessaires au travail.

Louis Manzin le regarda un instant s'éloigner, le front baissé, l'air profondément soucieux.

« Le pauvre garçon est absolument désorienté... Il ne me paraît pas éloigné de croire aux revenants, lui aussi ! »

Voulant commencer, dès cet instant, ses interrogatoires séparés, le détective jugea l'occasion bonne pour questionner le vieil Etienne.

Le brave homme ne se fit pas prier pour narrer les événements dans tous leurs détails. Manzin voulut lui faire préciser ce qui s'était passé au moment même où la jeune fille était descendue dans le puits.

— Comment se fait-il que vous tous qui étiez là lui ayez laissé commettre une telle imprudence ?

Le vieux jardinier fit un effort visible pour bien mettre au net ses souvenirs.

— Dame ! monsieur... c'est que le moment juste où Mlle Eliane a passé par-dessus la margelle... personne ne l'a vue... en tout cas, pas moi... on parlait à Morvan, nous autres... on était tout remué de ce qu'il n'avait rien trouvé.

Et le vieux continua, narrant par le menu le cri d'angoisse de la jeune fille, les recherches infructueuses, le désespoir et la panique qui avaient étreint tous les témoins.

Et toujours comme un triste refrain, sa pensée revenait sur la blonde enfant ensevelie :

— Une si belle jeunesse, monsieur, si fraîche et si mignonne ! Une demoiselle qu'avait toujours un mot gracieux pour nous autres tous !

— Elle devait épouser votre maître bientôt ? demanda Manzin.

— Bientôt, oui, répondit le vieil homme avec émotion. Dans quinze jours. La noce devait se faire ici, au château. Ah ! le pauvre M. Roger !

— M. Croixmare ?

— Oui, not' maître. Il est bien sec, des fois, avec nous ; mais c'est un homme juste et, aujourd'hui, il a tant de misère que tout le monde le plaint ! Pensez donc ! perdre une fiancée comme celle-là ! Il en est quasiment fou...

Fou, en effet, il avait bien semblé à Manzin que Roger l'était un peu. De ses propos assez incohérents, le détective ne pouvait presque rien déduire... rien d'autre que l'impression vague que l'affaire était encore plus embrouillée qu'elle n'en avait eu l'air à première vue... et que, derrière le mystère de la jeune fille disparue, se cachait peut-être un autre roman... mystérieux !

Lequel ?

La première supposition qui pouvait venir, à si peu de temps du mariage, était celle d'un rival, disputant à Roger sa fiancée.

Un rival ?... préféré secrètement par la jeune fille ?

Et, dans ce cas, on se trouvait en présence d'un enlèvement... consenti, ou d'une fugue volontaire.

A moins qu'un rival malheureux... poussé par la

jalousie, n'eût cherché à empêcher le mariage...
par tous les moyens... peut-être jusqu'au crime ?

Pour éclaircir cette question, il importait de
connaître, autant que possible, les sentiments de la
jeune fille envers son fiancé.

Aucun indice n'étant négligeable, il interrogea
encore le vieux jardinier, puisque l'occasion était
favorable :

— Mlle de Surtot vous parlait-elle quelquefois ?
demanda-t-il.

— Pour sûr, répondit le vieux, tout fier. Et ben
aimablement, toujours !

— Est-ce qu'elle était gaie ? Avait-elle l'air
contente de se marier ?

— Gaie ? dame ! oui. Elle était souriante, que
c'était plaisir de la voir... Mais si c'était à cause du
mariage ou non, elle ne m'en a point rien dit.

— Enfin, à votre avis, elle aimait son fiancé ?

— Ah ! je pense ben que oui.

Le vieux réfléchit un instant et ajouta :

— Elle aimait ben la famille aussi. Elle s'intéres-
sait à eux tous, les anciens et ceux d'aujourd'hui.
Elle m'a souvent demandé des histoires sur eux,
sur le colonel des gardes, que mon père a connu...
Elle écoutait tout ça... et la légende du vieux
puits... et tout !

Et il conclut :

— Quelle pitié... une demoiselle si belle et si
mignonne ! Ah ! malheur ! Mais si vous voulez mon
avis, monsieur, moi je n'ai pas d'hésitation.

— Ah ! vraiment ! Vous savez comment les
choses se sont passées ?

— Parbleu.

— Mais c'est intéressant ce que vous dites là,

mon ami, et je ne demande qu'à connaître votre avis.

— Eh bien! monsieur, ne perdez pas votre temps en enquêtes difficiles. Soyez persuadé que vous ne trouverez rien...

— Vous croyez? Mais pourquoi?

— Parce que c'est le traître qui s'est vengé, monsieur! Et contre celui-là il n'y a rien à faire!

— De quel traître parlez-vous?

— De celui que le colonel des gardes a fait jeter tout vivant là-dedans... C'est lui, monsieur! Il a enlevé notre demoiselle pour punir M. Roger qui faisait boucher le puits...

Le détective, de ses petits yeux perçants, examina le bonhomme.

Il se demandait si celui-ci ne se moquait pas de lui, mais il y avait tant de droiture et de simplicité sur le visage du père Etienne qu'on ne pouvait douter de sa sincérité.

Manzin se mit à rire.

— Vous avez peut-être raison, mon brave. Seulement, c'est un motif de plus pour continuer mes recherches. Car il est une remarque que tout le monde peut faire : les revenants n'aiment pas la police et, quand nous arrivons quelque part, ils s'empressent de déguerpir et de cesser leurs maléfices.

Ce fut au tour du père Etienne de demeurer interloqué.

Il avait conscience que le détective ne croyait pas au surnaturel.

Seulement, le monsieur de Paris était bien honnête et il l'écoutait avec beaucoup d'attention...

Tous les autres serviteurs, interrogés par le policier, parlèrent dans le même sens.

Ils furent unanimes à dire qu'ils n'avaient pas vu le moment précis où Eliane avait enjambé le puits.

— On parlait tous, expliqua le garde, chacun m'entourait... on était tellement bouleversé que je n'aie pas retrouvé mon fusil, qu'on ne pensait guère à autre chose. Et, tout à coup, M. Croixmare a crié... Je me suis retourné... J'ai vu que ma lampe de poche déposée sur le rebord du puits avait disparu... Et nous voyons tous que Mlle Eliane n'était plus là... On ne l'avait quasiment pas vue partir !

C'était tout ce que chacun savait et ce tout était très peu de chose.

Le champ était ouvert à toutes les suppositions. Une fugue ?

L'idée s'en présentait de plus en plus à l'esprit de Manzin.

Mais avec qui ?... ou pour rejoindre qui ?... Où était le rival ?

Et puis, il y avait cette petite lueur de la lampe de poche, que tous affirmaient avoir vue descendre peu à peu dans les ténèbres...

Et ce cri qui les avait glacés tous...

Enfin, le châtelain affirmait qu'il avait nettement vu sa fiancée disparaître dans le trou du vieux puits.

L'enquête que le détective fit quelques heures plus tard, au château, allait le lancer sur une piste plus précise.

XVII

LES DÉDUCTIONS D'UN DÉTECTIVE

Très correct, plein de discrète sympathie, Manzin s'était excusé de venir déranger ces dames, déjà si accablées par l'incroyable disparition de Mlle Eliane.

— Je suis surtout navré de troubler la douleur de cette pauvre mère... Cependant, j'aurais bien voulu obtenir quelques renseignements de Mme de Surtot.

Celle-ci, malgré son chagrin, consentit à recevoir le détective. Spontanément, elle se mit à sa disposition.

Ne cherchait-il pas la piste d'Eliane !

Ah ! qu'il lui posât toutes les questions utiles ! Elle lui répondrait de son mieux, puisque quelque chose de ce qu'elle pourrait dire aiderait peut-être à percer l'horrible mystère.

— Je vous remercie, madame, de bien vouloir autoriser certaines demandes... un peu intimes, mais je vous assure qu'elles me paraissent extrêmement importantes.

— Faites, monsieur ! Rien ne peut m'embarrasser, puisqu'il s'agit de mon enfant chérie.

— Eh bien ! madame, voulez-vous me dire si

Mlle de Surtot était heureuse des projets de mariage ébauchés entre elle et M. Croixmare.

— Oh ! absolument !

— Qui, le premier, a eu l'idée de ce mariage ?

— Le projet était né entre Mme Croixmare et ma sœur, Mlle de la Brèche... Je l'avais accueilli sans déplaisir, bien qu'Eliane me parût encore très jeune pour me quitter. Cependant, devant le grand amour de Roger, j'avais moi-même conseillé à ma fille d'accepter ce jeune homme comme époux.

— Et... j'insiste, madame... vous êtes certaine que celle-ci était satisfaite de son futur mariage ?

— Mon Dieu ! oui !... A aucune minute, il ne m'est apparu qu'elle en fût mécontente. D'ailleurs, j'adorais ma fille, elle était mon unique enfant et je ne contrariais pas ses désirs... Si ma petite Eliane n'avait pas aimé Roger Croixmare, il lui eût suffi de nous dire qu'elle renonçait à l'épouser pour qu'aussitôt, ma sœur et moi, nous eussions partagé son refus.

Une légère déception passa sur le visage du détective. L'affirmation de Mme de Surtot semblait écarter définitivement l'idée d'une fugue.

Mais il restait celle d'un prétendant évincé.

— Voilà donc un point acquis, reprit-il lentement. Votre fille n'aurait préféré aucun autre fiancé à M. Croixmare ?

— Oh ! personne ! bien certainement.

— Mlle de la Brèche ne me fournira là-dessus aucune indication contraire ?

— Voyez-la, mais elle ne pourra vous donner que la même assurance.

— Parfait !... En revanche, voulez-vous me dire si, parmi les prétendants à la main de Mlle de

Surtot, il en est un qui ait paru plus affecté que les autres à l'annonce de son mariage ?

— C'est facile de vous répondre sur ce point : nous n'avons eu à écarter personne ces temps derniers.

— Personne ?

— Absolument personne. Eliane n'allait guère dans le monde, nous vivions un peu en sauvages, toutes les trois... Je ne vois vraiment pas, depuis quelques mois, qui aurait pu songer à la main de ma fille.

— Singulier... très singulier !

— Oh ! monsieur ! voulez-vous dire que des indices vous feraient croire qu'un rival de Roger...

Mais, fermement, le détective l'interrompit :

— Je ne dis rien, madame... sinon que le choix d'une jeune fille riche déçoit toujours quelque soupirant caché... Je n'ai rien dit de plus, madame... mais c'est pourquoi aussi votre certitude me surprend... Vous réfléchirez à mes questions et, plus tard, si elles éveillaient en vous quelques souvenirs, je vous prierais de ne pas me les tenir cachés.

— Bien, monsieur.

— Et maintenant, madame, voulez-vous me permettre d'examiner la chambre de Mlle de Surtot ? Je sais que ma demande est presque inconvenante... Je m'en excuse... cependant, je serais désolé que vous vous opposiez à cette visite.

— Mais je ne m'y refuse pas, monsieur, bien que je sois persuadée que vous n'y trouverez rien qui soit une indication. Ma petite Eliane n'avait certainement pas prémédité sa fatale descente dans le puits maudit.

— Puis-je effectuer seul... c'est-à-dire en pleine liberté... la visite de cette chambre ?

Mme de Surtot refréna un mouvement de surprise.

— Ma sœur va vous y conduire, monsieur, fit-elle cependant avec sa même bienveillance. Je lui dirai de ne pas vous déranger pendant votre inspection.

Manzin ne pouvait que remercier encore la vieille dame de tant de complaisance.

Quand il pénétra dans la chambre d'Eliane, le premier mot du détective fut pour s'informer si la pièce avait été nettoyée depuis le départ de son occupante.

— Non, monsieur ! assura Mlle de la Brèche. Ma nièce est partie après le repas de midi, alors que les chambres sont toujours faites dans la matinée.

— Donc, tout est tel que Mlle de Surtot l'a quitté ?

— Oui, monsieur.

Quand la vieille demoiselle se fut retirée discrètement, Louis Manzin commença son inspection.

Nous n'essaierons pas de retracer, par le menu, tous les gestes du détective ; qu'il nous suffise de dire que ce qui paraissait surtout l'intéresser étaient les papiers, lettres ou cahiers enfermés dans un petit secrétaire de laque, incrusté d'ivoire et d'argent, dont il ouvrit la serrure avec une adresse de cambrioleur.

Il poussa d'ailleurs l'indiscrétion jusqu'à visiter le sac à main de l'absente, jeté négligemment sur l'oreiller de dentelles.

S'il n'attacha aucune importance aux quelques billets de banque et à la trousse de toilette qui se trouvaient dans le sac, il fut, au contraire, sidéré par le portefeuille de Jean Valmont, que la jeune fille avait ramassé dans les ronces, auprès du vieux puits, et qu'elle avait précieusement rangé dans le secrétaire chinois.

Ouvrir le portefeuille et prendre connaissance des lettres et des factures qui s'y trouvaient ne le gênèrent pas davantage. Manzin estimait certainement qu'un bon détective a le droit d'user sans scrupule de toutes les indiscrétions.

— Pour une fois, dit-il, en mettant sans aucune gêne le tout dans sa poche, ça sert à quelque chose de perquisitionner dans une chambre de jeune fille.

Il allait sortir avec son butin quand il s'arrêta sur le seuil de la porte pour jeter un dernier coup d'œil dans la chambre.

Le sac à main, qu'il avait remis en place sur l'oreiller, lui fit faire des déductions précieuses.

Eliane de Surtot, en abandonnant son sac et l'argent qu'il contenait, avec une telle insouciance, n'avait certainement pas projeté de quitter furtivement les Houx-Noirs... Elle devait donc croire n'avoir à s'absenter que quelques instants.

D'autre part, hasard ou vengeance, elle avait appris que Roger Croixmare était indigne d'elle...

La révélation devait être récente, puisque ses proches l'ignoraient, mais *indiscutablement* Eliane ne devait pas être une *heureuse fiancée*.

Cela amenait les déductions vers un suicide possible.

— Possible, mais pas probable !

Non, il s'agissait plus vraisemblablement d'une fugue imprévue... que les circonstances avaient hâtée.

Mais que venait faire, dans tout ça, le portefeuille de Jean Valmont ?

Quel était cet homme ? Quels rapports ou quels liens l'attachaient à la jeune fille ?

En vérité, c'étaient autant d'énigmes à débrouiller, mais Louis Manzin était heureux, il tenait le fil conducteur !

A peine fut-il sorti de la chambre d'Eliane qu'il retrouva Mlle de la Brèche.

La vieille fille l'attendait patiemment, mais assez tristement, car elle n'espérait aucun résultat de cette longue visite domiciliaire.

— Pouvez-vous me dire, mademoiselle, quelle personne de vos connaissances se nomme Jean Valmont ? s'informa tout de suite Manzin, qui aimait à battre le fer pendant qu'il était chaud.

— Je ne connais pas ce jeune homme. C'est un neveu de Mme Croixmare... Cette dame pourra vous parler de lui plus savamment que moi.

— Il est allié à M. Roger ?

— Oui, monsieur, c'est son cousin... il devait être son garçon d'honneur.

— Mlle de Surtot le connaissait donc ?

— Oh ! si peu ! Elle l'avait, je crois, rencontré à Ostende, il y a deux ans, mais elle n'avait conservé de lui aucun souvenir... D'ailleurs, mon amie vous parlera de son neveu, si vous le désirez.

— Est-il au château, actuellement ? insista Manzin, qui désirait obtenir le plus de renseignements possible sur Jean Valmont avant d'entendre la châtelaine.

— Non, monsieur ! répondit docilement la vieille demoiselle. Le jeune homme n'est pas aux Houx-Noirs. En vérité, il devait s'y trouver en même temps que nous, mais il a disparu au moment où nous arrivions.

— Disparu ! s'exclama le détective trop précipitamment. Comment ? Il y a eu d'autres disparitions au château et personne ne m'en a parlé ?

Mlle de la Brèche était toute confuse d'avoir évoqué, avec une pareille légèreté, un fait si en dehors du mystère du vieux puits.

— Le mot a dépassé ma pensée, balbutia-t-elle, gênée. Le neveu de notre hôtesse s'est contenté de quitter les Houx-Noirs sans embrasser sa tante... Je suis navré, monsieur, d'avoir pu vous donner une si fausse indication sur les allées et venues d'un parent de mon amie... Je suis absolument désolée.

Louis Manzin n'insista pas. Il se rendait compte que son interlocutrice s'était ressaisie et qu'il n'en tirerait aucun autre renseignement.

Cependant, en lui-même, la certitude s'imposait de plus en plus d'une escapade d'Eliane.

« Elle est allée retrouver Jean Valmont, parbleu ! »

Le détective était positif. Pendant que tout le monde s'obstinait à chercher autour du vieux puits le nœud de la question, il était bien persuadé, lui, de l'avoir trouvé là où personne ne songeait à le situer.

Et c'est en se frottant les mains avec satisfaction qu'il se fit annoncer chez la châtelaine.

— Ce drame affreux, madame, vous a frappée en plein bonheur ! On m'a dit que vous ne pensiez qu'au très prochain mariage de votre fils, que tout était en fête ici ? commença-t-il, dès qu'il fut assis en face d'elle, dans le petit salon où elle l'avait rejoint.

La vieille dame se borna à répondre très simplement :

— Oui, mon fils et Mlle de Surtot devaient se marier dans quinze jours.

144

— Madame... veuillez excuser ma... brutalité, mon métier m'oblige aux questions directes... Je dois vous demander : les deux fiancés s'aimaient-ils ?

— Mais... naturellement !

— Et ce mariage était-il également bien vu de M. Valmont ?

La mère de Roger eut un sursaut.

— Il ne s'agit pas de mon neveu, balbutia-t-elle, interdite. Il n'est pour rien dans la disparition d'Eliane.

— Il a quitté les Houx-Noirs, en effet, il y a quelques jours... assez précipitamment, m'a-t-on dit... A cause, justement de ce mariage ?

— Oh ! monsieur ! protesta la malheureuse femme, indignée, je ne sais pas qui a pu mêler le nom de mon neveu à nos soucis actuels ; mais je vous jure que ce n'est pas le mariage de Roger qui a éloigné son cousin d'ici.

— J'avais cru comprendre... M. Jean Valmont connaissait Mlle Eliane, n'est-ce pas ?... Vous pourriez peut-être me dire où ce jeune homme se trouve actuellement ?

Le détective sentait des réticences dans les réponses de Mme Croixmare et il s'efforçait, par des questions faites un peu au hasard, de la désarçonner.

Mais la châtelaine était sans malice. Il ne lui était même pas venu à l'idée qu'elle eût quelque chose à cacher au sujet de son neveu.

Ce fut donc avec la plus grande sincérité qu'elle répondit au policier :

— Non, monsieur. Je ne pourrais pas vous dire où mon neveu réside en ce moment. Je suis absolument sans nouvelles de lui.

— Le fait ne vous semble pas étrange, madame ?

— Si... un peu...

Elle hésitait, sans remarquer le regard aigu dont la dévisageait son interlocuteur.

— Monsieur, fit-elle enfin, il faut que je vous dise toute mon inquiétude.

Ce grand garçon au visage énergique lui inspirait confiance. Et c'était pour elle un soulagement d'en finir avec cette histoire du départ de Jean que les gens rapprochaient, maintenant, de la disparition d'Eliane.

— Parlez sans crainte, madame, je vous écoute, l'invita courtoisement Manzin.

— Eh bien ! voilà : il y a une quinzaine de jours, nous avons eu la visite de mon neveu, un gentil garçon, pas très raisonnable, mais que j'aime bien... Il devait rester ici jusqu'au mariage et être le garçon d'honneur de son cousin.

— N'en est-il plus ainsi ?

— Hélas ! dès le soir de son arrivée, une funeste question d'argent a amené une querelle entre mon fils et lui... Ce pauvre Jean est généreux, mais souvent prodigue... Mon Roger est beaucoup plus raisonnable... Je crains qu'en la circonstance il n'ait été un peu trop dur... Bref, Jean est parti, dans la nuit même...

— Sans vous revoir, madame ?

— Oui, sans voir personne, répondit-elle avec chagrin, sans même occuper la chambre qu'on lui avait préparée au pavillon.

— Au pavillon ? Qu'est-ce ?

— Une petite maison rustique, à l'autre bout du parc...

Par la fenêtre ouverte, Mme Croixmare indiquait

de la main la direction du sombre bosquet de sapins qui entourait le vieux puits.

— C'est par là ? demanda Manzin.

— Oui, juste derrière le vieux puits. L'allée qui y mène passe sous les sapins, vous pourrez gagner le pavillon par là.

— Je vous remercie, madame.

Et le détective ajouta :

— Puis-je vous demander si vous avez eu, depuis qu'il vous a quittée, des nouvelles de votre neveu... avec l'explication de ce brusque départ ?

Le visage de Mme Croixmare eut une contraction douloureuse.

— Ah ! monsieur, voilà ce qui me tourmente le plus. Jean n'a rien écrit, personne ne l'a vu.

— Vraiment ?

— Moi-même, voulant réparer l'attitude peut-être... trop sévère de mon fils, j'ai écrit au pauvre enfant...

— Et il n'a pas répondu ?

— Non, la lettre était recommandée... J'avais glissé quelques billets dans l'enveloppe... et... elle m'est revenue... Tenez, ajouta-t-elle en ouvrant un secrétaire ancien, la voici.

Louis Manzin prit la lettre qu'elle lui tendait et nota l'adresse de Jean Valmont.

Retournant l'enveloppe, il vit la mention de la poste :

« Retour à l'envoyeur, le destinataire absent de chez lui depuis le 15 courant. »

— Ainsi, fit-il légèrement, comme s'il n'attachait aucune importance à sa remarque, votre neveu, probablement fâché du refus de son cousin, a quitté, en pleine nuit, les Houx-Noirs ?

— Oui, monsieur.

— Et lequel de vos gens l'a vu en dernier lieu ?

— C'est mon fils, monsieur. Ils se sont séparés à une heure du matin.

— Ah ! c'est M. Croixmare ? C'est très bien... On peut donc être sûr du moment où son cousin est parti ?

— Oui... c'est-à-dire que Jean a quitté Roger pour gagner le pavillon... Il n'a pas dû s'y rendre, il aura préféré repartir !

— Oui, oui !

Pour qui connaissait le policier, ce « oui, oui ! » si légèrement prononcé eût paru l'indice d'une découverte sensationnelle. Jamais Manzin n'affectait autant d'indifférence que lorsqu'il venait de recueillir un précieux renseignement. De même que, dans ces moments-là, il évitait de regarder en face l'indicateur bénévole ; il avait trop peur que l'autre ne vît, dans ses yeux brillants, la joie du limier flairant la bonne piste.

Le détective, après avoir remercié la châtelaine, prit immédiatement le chemin du pavillon.

Nous ne l'y accompagnerons pas, puisqu'il ne devait trouver aucun nouvel indice : le lit y était toujours préparé et les pots et brocs du cabinet de toilette attenant à la chambre y étaient encore emplis d'eau...

Quelque chose de plus pressé allait d'ailleurs accaparer le policier.

Il y avait à faire, maintenant, la reconstitution du drame, à laquelle tous les témoins devaient assister.

A présent que les parois du puits étaient débarrassées de toute la végétation qui les encombrait, on procédait aux expériences de chute pour reconstituer les mêmes circonstances. D'abord avec un fusil, puis avec un sac rempli de sable ayant approximativement le poids d'un corps humain.

Le fusil fut lancé, ou, plutôt, on fit placer Morvan dans la position où il se trouvait quand l'arme avait glissé de son épaule.

Le fusil tomba... tout droit, sans rencontrer les mêmes obstacles qui avaient pu faire dévier, lors du mystérieux fait, celui du garde. Le détective n'avait pas réfléchi à l'importance de cette végétation, si bien qu'on retrouva l'arme au fond du puits, fichée un peu obliquement dans la terre meuble.

Le sac, rappelant vaguement la silhouette d'Eliane, fut lancé à son tour. Ne trouvant pas plus d'obstacle que le fusil, il fut simplement retrouvé aplati au fond.

Manzin, qui naturellement assistait à cette double expérience, ne voulut en tirer aucune conclusion. Le résultat était négatif, véritablement.

Un architecte avait été appelé pour examiner les parois du puits et donner son avis.

Après l'inutile reconstitution, on le pria de procéder à des sondages.

Ceux-ci n'eurent d'autre effet que d'indiquer à peu près l'épaisseur de la couche de terre nouvellement jetée dans le fond du puits.

Elle dépassait un peu la hauteur d'un homme. Quant aux parois, elles paraissaient véritablement normales, de haut en bas.

Louis Manzin réfléchissait profondément.

Soudain, s'adressant à Roger, il décida :

— Monsieur Croixmare, il faut enlever cette terre.

Roger eut un sursaut involontaire.

— Quelle terre ?

149

— Toute la terre meuble qui a été jetée dans le fond du puits.

— Mais c'est impossible... impossible...

Il avait l'air absolument excédé par les exigences du policier.

Celui-ci ne se démonta pas pour si peu. Se tournant vers l'architecte, il demanda :

— Votre avis, monsieur ?

Son ton était si rogue que l'autre s'empressa de lui donner raison.

— Ce sera un travail assez dur et un peu long, mais il n'est nullement impossible... Avec la main-d'œuvre que monsieur met à notre disposition, on peut en venir à bout avant la nuit.

Roger objecta encore :

— Mais... quelle nécessité ?

Alors, Louis Manzin expliqua son désir avec beaucoup de calme :

— Il est possible que des débris de branchages ou de ferraille aient été, au cours des années passées, jetés dans le vieux puits. La couche ainsi formée peut être assez épaisse et former un barrage qui retient la terre récemment jetée. Dans ce cas, un vide existerait au fond.

— Rien d'invraisemblable à cette supposition, approuva l'architecte, qui trouvait l'explication un peu tirée par les cheveux, mais qui était enchanté d'avoir un prétexte de plus, en surveillant le travail de déblaiement, à demander de gros honoraires.

— Je ne suis pas de votre avis, riposta Croixmare, à qui le bonhomme était antipathique. Nous avons tous piétiné cette terre. Si elle avait dû s'effondrer, ce serait déjà fait.

— Néanmoins, insista Manzin, je ne dois rien négliger. Le fusil, assez lourd, a pu, en tombant,

150

s'enfoncer véritablement dans cette terre meuble qui s'est refermée sur lui, tandis que la disparue, tombant de moins haut... ou roulant de degré en degré, peut avoir provoqué l'effondrement de toute la masse de terre friable.

— Le corps de cette jeune fille, émit l'architecte, pourrait très bien être enseveli sous cette avalanche.

— Oh !

Roger avait eu une sourde et rauque exclamation.

Une affreuse vision surgissait des paroles de cet homme correct et indifférent : le corps enseveli d'Eliane... la douce fiancée disparue si étrangement.

Le visage blême, le regard halluciné, sans ajouter un mot devant son impuissance à diriger les événements, le jeune châtelain alla s'adosser contre un arbre. Il y resta immobile et insensible à tout, pendant les heures que dura le travail de déblaiement.

Travail formidable... et vain !

Dans le fond, sous la terre, on ne trouva rien... rien qu'un chapeau !

Un chapeau d'homme en bon état, un peu sali par la boue, mais visiblement tombé là depuis peu de temps.

Louis Manzin s'attendait certainement à autre chose, mais il n'en laissa rien paraître. Il prit le chapeau et l'examina attentivement. Sur le cuir de la coiffe, à l'intérieur, il y avait deux petites initiales :

« J. V. »

Tout de suite, l'homme pensa :

— J. V... Jean Valmont ! toujours ce même nom qu'on retrouve partout dans cette affaire.

Mais que signifiait ce chapeau au fond du puits ?

— Il n'y a rien d'autre ? Vous êtes sûrs ? demanda-t-il aux terrassiers.

Il descendit lui-même s'en assurer et sonda, minutieusement, la terre maintenant argileuse et humide.

— Un chapeau seulement, se répétait-il. Pourquoi pas un costume complet, une valise... ou... ou... est-ce que je sais, moi ! Un chapeau, ça ne veut rien dire.

Néanmoins, ce chapeau le ramenait à Jean Valmont.

Quand il remonta, sa décision était prise... D'autant que l'attitude du châtelain lui semblait suspecte.

On aurait dit que celui-ci aussi s'attendait à voir sortir du puits autre chose qu'un chapeau. Il paraissait, à présent, littéralement effondré.

Par trois fois, n'avait-il pas divagué... faisant, lui aussi, allusion à la sinistre réputation du vieux puits ?

— Malédiction ! Il n'y a rien... rien ! Tous les sortilèges sont au fond !... Malheur à tous ! malheur à tous !

Et assommé par cette nouvelle déception, car peut-être, réellement, avait-il fini par croire que le corps de sa fiancée était sous la terre, il était parti vers le château comme un fou.

Il n'y avait plus grand-chose, pour Manzin, à apprendre aux Houx-Noirs, et le policier commençait à dire qu'avant de poursuivre l'enquête il fallait retrouver Jean Valmont... l'autre mystérieux disparu.

XVIII

DU PUR ROMAN, TOUT SIMPLEMENT

Le mystère paraissait s'obscurcir, de plus en plus, autour de l'invraisemblable escamotage d'Eliane.

Il y avait quatre jours que celle-ci était disparue et aucun fait nouveau n'était venu éclairer, même d'une lueur, le mystère troublant du vieux puits.

Plus que jamais, naturellement, les langues marchaient, et devant la carence de la justice chacun croyait, plus fermement encore que jadis, aux esprits et aux maléfices diaboliques.

Le châtelain lui-même, maintenant, semblait partager les sinistres croyances de ses serviteurs. Il évitait de retourner du côté du vieux puits... ce puits tragique qui absorbait les armes et les corps sans en rien restituer ! Mais on le voyait, regardant de loin les noirs sapins avec une sorte d'épouvante.

— La légende disait vrai : le puits était maudit ! Comme un vampire, un esprit malveillant y attirait les gens et les faisait disparaître !

A y réfléchir trop, il y avait de quoi devenir fou.

Roger Croixmare sentait sa raison vaciller. Parfois, il lui semblait qu'il allait être une autre victime du lieu maudit : l'âme du traître réclamait d'autres traîtres et leurs victimes voulaient être vengées.

Seul, le détective croyait bien avoir saisi la clef de l'énigme. Du moins, c'est ce qu'il affirmait à un journaliste de ses amis qui lui demandait les éléments d'un article sensationnel.

— Voyez-vous, expliquait-il, tout concorde à me prouver que rien ne s'est passé selon l'*imagination* de tous ces braves gens.

Le fusil ? Enlevé pendant le temps du déjeuner où le puits est resté sans surveillance.

La jeune fille ? Partie... disparue durant l'instant très court où, ému, effrayé et profondément troublé, chacun n'avait d'yeux que pour le garde, abasourdi.

La jeune personne avait su profiter, avec une admirable présence d'esprit, de la panique des autres.

Elle était partie ! Et partie pour retrouver qui ?

Jean Valmont, parbleu !

Le beau cousin... le rival de Roger !... Le beau cousin disparu mystérieusement, lui aussi !

Tous ces paysans étaient vraiment romanesques avec leurs revenants et leurs légendes !

Seulement, Valmont avait raté son coup... tout au moins en partie !

Il avait pourtant bien organisé son petit *mystère*... car ce chapeau... ce fameux chapeau trouvé au fond du puits, n'avait-il pas été posé sur la margelle pour attirer l'attention ?... Pour faire croire, tout au moins, à un accident ?

Mais voilà... un coup de vent avait détruit la belle mise en scène... Un coup de vent que Valmont n'avait pas prévu et le chapeau était tombé dans le trou noir.

Ah ! ils pouvaient croire aux esprits, les braves gens ! au diable même et à ses diableries ! Ce n'est

pas lui, Manzin, qui donnerait dans ces sornettes !
Il avait à sa disposition le raisonnement froid et
sûr, la déduction logique, la vision nette des
événements. Il usait de vérifications sérieuses,
classiques et méthodiques.

Parbleu !

Ainsi, il avait interrogé Croixmare dès ce matin,
et il lui avait demandé entre autres choses :

— Dans votre mariage, pouvez-vous me dire qui
apportait la fortune ?

— Mais, tous deux, avait répondu le châtelain.
Ma fiancée est riche et moi aussi... d'une façon à
peu près équivalente !

Il était donc évident qu'un rival pauvre pouvait
avoir un double intérêt à essayer d'empêcher le
mariage !

Justement, Valmont était pauvre, et il avait de
sérieux besoins d'argent.

La logique la plus élémentaire le désignait donc
aux yeux du policier ! A côté des deux fiancés,
également riches, il était le seul sans le sou et aux
abois.

— Concluez !

Tout cela, Louis Manzin l'expliqua à son ami le
journaliste, qui, plein d'ardeur, prenait des notes.

— Chez moi, tout est méthodique et pour ainsi
dire scientifiquement mené, concluait le détective.
Ainsi, j'ai téléphoné à Paris pour qu'on surveillât le
domicile de Jean Valmont. Moi-même, je file là-
bas pour rechercher celui-ci. Je suis sûr, vous
entendez, mon vieux, je suis absolument certain
que, quand j'aurai retrouvé le cousin, j'aurai aussi
rejoint la fiancée...

— Vos déductions sont tout bonnement mer-
veilleuses.

— De la méthode, mon ami ! Tout est là... Moi, j'ai de la méthode et je n'en démords pas. Ça m'a toujours réussi !

Avant de quitter les Houx-Noirs, l'excellent garçon eut un mot d'encouragement pour chacun.

— Nous tirerons la vérité du vieux puits, dit-il à Croixmare. Tout s'expliquera et je vous assure que ses vieilles pierres nous rendront tout ce qu'elles ont enfermé !

Cette promesse parut faire un effet extraordinaire sur Roger, qui serra les poings comme si le vieux puits eût été un homme et qu'en l'assommant il eût pu, plus vite, lui arracher son secret.

Avec Mme Croixmare, le policier fut plus mystérieux.

— Ayez confiance, madame, ayez confiance ! Je vous réserve une surprise étonnante.

Evidemment, la mère de Roger n'avait jamais envisagé que son neveu pût avoir enlevé Eliane ! Et si Louis Manzin pouvait lui prouver une telle chose, ce serait sûrement une étonnante surprise.

Pour Mlle de la Brèche, qui, toute petite de taille, regardait en général les gens de très haut, Manzin fut très pince-sans-rire.

— Mademoiselle, vous habitez, je crois, une très jolie propriété, dans le Dauphiné... C'est très sain chez vous et très loin du vieux puits. Permettez-moi de vous donner le conseil de ne pas vous attarder trop longtemps aux Houx-Noirs : l'air n'y est pas bon du tout, pour ceux qui ont eu, comme vous, d'assez fortes émotions.

— Je resterai ici, cependant, tant que ma nièce ne sera pas de retour.

— Alors, mademoiselle, le mieux serait peut-être de vous sacrifier tout de suite au bonheur de M. Roger, qui me paraît bien compromis.

— Qu'est-ce que vous dites, monsieur ? fit la vieille demoiselle avec indignation, car elle attribuait un sens particulier et assez injurieux pour elle aux paroles du policier.

Celui-ci n'en fut que plus humble. Se penchant vers elle, il lui fit une vraie confidence :

— J'ai acquis la certitude, mademoiselle, que les esprits du vieux puits sont opposés au mariage de votre nièce... Vous attendrez donc longtemps son retour aux Houx-Noirs, comprenez-vous ?...

Saluant très bas la tante d'Eliane, Manzin s'en alla rejoindre Mme de Surtot.

— Je viens prendre congé de vous, madame, avant de quitter ce pays.

— Comment, monsieur, vous renoncez à me rendre ma fille ?

— Au contraire, madame, je crois avoir trouvé la vraie solution... Je dois être sur une bonne piste.

— Ah ! mon Dieu ! Puis-je espérer ?

— Je ferai l'impossible, croyez-le bien. Cependant, j'ai pensé que vous devriez m'aider.

— Oh ! monsieur, disposez de moi... Toute ma fortune...

— Fi donc, madame ! Il ne s'agit pas d'argent ! Seulement, il m'a semblé que vous devriez rejoindre votre appartement de Paris... Si jamais Mlle Eliane, après cette histoire un peu bruyante, préférait ne pas se retrouver en face de Roger Croixmare... c'est sûrement chez vous, à Paris, qu'elle se réfugierait de préférence.

Mme de Surtot ouvrit la bouche pour protester. Mais Manzin ne lui en laissa pas le temps.

— D'ailleurs, si je ne me trompe, Mme Croixmare sera toujours aux Houx-Noirs pour accueillir Mlle de Surtot, si celle-ci y revenait après votre départ.

Ahurie des insinuations de Manzin, la malheureuse mère fut décidée par cette dernière réflexion, mieux que par tout autre raisonnement.

Mme Croixmare n'allait-elle pas devenir la seconde maman d'Eliane ? Sa fille pouvait aussi bien revenir, en effet, aux Houx-Noirs qu'aller à Paris.

Le policier, le soir même, reprit le train pour la capitale, pendant que ces dames, raisonnablement, malgré leur chagrin, lui obéissaient en faisant leurs malles avant de prendre congé de leurs hôtes, aussi désolés de les voir partir qu'elles l'étaient elles-mêmes de les quitter en d'aussi pénibles circonstances.

Elles s'éloignèrent le lendemain, de très bonne heure, chacune dans la direction indiquée par le fin limier parisien.

Il valait mieux lui obéir, n'est-ce pas ?... Même sans comprendre ! Le retour d'Eliane n'était-il pas annoncé par cet homme ? Cela seul comptait pour une mère et une tante très affectées !

Mais ce qu'elles comprirent moins encore, ce furent les précisions données par les journaux, les jours suivants : tous parlaient des retours à Paris et en Dauphiné !

Qui donc avait appris aux grands quotidiens le départ des deux dames ? Il n'y eut pas un journal qui ne répandît la nouvelle !

Et comme la mère et la tante d'Eliane étaient des femmes bien élevées, elles furent très gênées de ce gros tapage fait autour de leurs noms ! Et c'est avec une réelle sincérité qu'elles se lamentèrent d'une telle publicité.

Cependant, si elles avaient vu Louis Manzin se frotter les mains après avoir parcouru les journaux qui répandaient leurs nouvelles adresses, elles eussent eu l'explication de l'énigme.

« Maintenant, disait le détective avec satisfaction, il n'y a plus qu'à attendre que Jean Valmont ramène Eliane de Surtot... à Paris ou en Dauphiné, mais sûrement pas aux Houx-Noirs ! »

Quant au mariage de Croixmare, le policier était certain qu'il était remis aux calendes grecques !

Mais qui peut dire, après tout, qu'il n'avait pas tort ?

DEUXIÈME PARTIE

I

DANS LES TÉNÈBRES

Eliane de Surtot avait écouté attentivement Morvan, qui, n'ayant pas retrouvé son fusil dans le fond du puits, donnait des explications terrifiées et assez confuses.

La jeune fille adorait les légendes, mais n'était pas superstitieuse. En dépit des racontars du père Etienne, elle ne craignait ni les esprits baladeurs ni les revenants courroucés ; la disparition du fusil lui parut absolument du domaine imaginatif. Tous ces paysans, assoiffés de surnaturel, étaient en train de se suggestionner eux-mêmes.

Et voici que son fiancé semblait abonder dans leurs idées. Il donnait ordre de reprendre le remplissage du vieux puits, sans s'occuper davantage du fusil.

C'était un défi au bon sens !

L'échelle était en place, une recherche plus méticuleuse au fond du puits pouvait être tentée sans complication. Pourquoi donc Roger s'y dérobait-il ?

Instinctivement, quelque chose se révoltait en elle contre l'attitude du châtelain.

Il y avait dans son subconscient un besoin

impulsif de connaître ce que recelait le mystérieux puits, objet de tant de racontars et frayeur inavouée de Croixmare, qui le faisait niveler comme s'il avait voulu y ensevelir à jamais un secret.

Toutes ces sensations projetées par son instinct, plutôt que des pensées mûrement réfléchies dans son cerveau, déterminèrent chez elle un geste irraisonné et impulsif.

Elle saisit la lampe électrique du garde et, bravement, sans calculer le danger qu'il pouvait y avoir pour elle à s'aventurer dans les parois obscures du puits sinistre, elle franchit la margelle et descendit l'échelle.

Elle entendit l'exclamation inquiète de Roger, mais n'y répondit pas.

En ce moment, un peu de mépris glissait en l'âme de la jeune fille pour le fiancé timoré que la légende du vieux puits semblait si fort émouvoir.

Elle descendit tranquillement une partie des échelons... Ses mains s'agrippèrent, au passage, aux basses branches d'un arbuste desséché, poussé entre les pierres... Tout à coup, son dos heurta la pierre.

Ce fut bizarre, incompréhensible... comme un vertige qui la tirait en arrière, vers un trou béant dans lequel elle tombait... s'engloutissait.

Et puis... plus rien !

Un coup à la tête, des chocs cruels par tout le corps...

Des ténèbres...

Eliane s'évanouit durant quelques instants, autant d'émotion que de douleur.

Lorsqu'elle reprit connaissance, sa lucidité tout de suite revenue, la jeune fille se rendit compte qu'elle était étendue sur le sol... un sol friable, presque humide.

Le dos lui faisait mal.

Tout était noir autour d'elle.

Elle essaya de se soulever, malgré cette douleur sourde au crâne et aux reins. Ses membres lui obéirent... Un peu lourds, un peu meurtris ; mais, enfin, il n'y avait rien de cassé.

Elle calcula qu'elle n'avait pas dû tomber de très haut, puisqu'elle n'était pas blessée.

Mais où était-elle ?

Elle leva les yeux, anxieusement. Pourquoi ne percevait-elle pas la lueur de l'orifice du puits ?... Pourquoi ne voyait-elle pas ce petit rond de ciel au-dessus de sa tête ?

— Roger !

Sa voix résonna sourdement... comme sous une voûte.

Elle appela encore une fois... puis plusieurs fois. Aucune réponse ne lui parvint.

L'air était lourd, difficile à respirer et sentait le renfermé.

Eliane, un peu inquiète, étendit les bras, cherchant la paroi arrondie du puits, et ne trouvant, à son grand étonnement, que le vide.

— Où suis-je ? se demanda-t-elle à nouveau.

Auprès d'elle il n'y avait aucune trace de l'échelle.

Elle avait dû, cependant, glisser sur les derniers échelons...

Pour bien comprendre ce qui lui arrive, elle doit réfléchir avec calme.

Elle s'y efforce.

Elle se souvient maintenant qu'elle est tombée un peu à la renverse... contre la paroi.

Normalement, elle doit être allongée, en ce moment, à l'endroit même où l'échelle posait sur le sol.

A force de tâtonner autour d'elle, la jeune fille sentit quelque chose sous sa main... une chose dure et longue !

Serait-ce un morceau de l'échelle brisée ?

— Non ! l'objet est en métal... C'est...

Oh ! Eliane l'a vite reconnu du bout de ses doigts délicats.

— C'est le fusil... le fusil du garde !

Elle est presque heureuse de sa trouvaille... Sa découverte donnait raison à la logique.

— Parbleu ! Je savais bien qu'il n'y avait rien de surnaturel dans cette disparition... Le voilà, le fusil ! Il n'y avait qu'à le chercher.

Eliane, en elle-même, se promit de rire de Morvan et des autres... même de Roger !

— Ce grand capon !

Tout de même, elle se dit qu'elle voudrait bien sortir de là.

Dans ce trou noir, elle ne se rend pas compte du tout de l'endroit où elle a pu tomber.

Chose extraordinaire chez une personne délicate comme l'est encore cette grande fillette, il n'y a en elle aucune peur sérieuse.

L'idée que des rats ou des araignées, peut-être, rôdent autour d'elle, ne l'effleure pas encore.

Elle se dit qu'au cours de ses nombreuses excursions dans les montagnes elle s'est tirée de bien d'autres difficultés.

Pour le moment, elle n'a qu'un désir : elle est tombée dans un trou et il lui faut en sortir.

Soudain, elle se rappelle qu'avant de glisser elle tenait à la main la lampe de poche du garde.

Si elle ne l'a pas lâchée dans sa chute, celle-ci doit être assez près d'elle.

A tâtons, la jeune fille se mit à chercher sur le sol friable. Ses mains effleuraient un sable fin un peu moite... non pas vraiment humide, mais de cette moiteur spéciale aux caves, aux souterrains, à tous les lieux privés d'air.

Eliane cherchait, palpant avec hésitation, mais méthodiquement, le sable autour d'elle. Elle avançait la main, de plus en plus très étonnée de ne pas heurter la paroi du puits. Enfin, à quelque distance de l'endroit où elle était tombée, elle trouva quelque chose de rond et de dur : la lampe de poche électrique... une belle lampe compliquée dont le garde est très fier et qui brûle quarante-huit heures !

Mais dans quel état Eliane retrouve-t-elle cette merveille ?

Eteinte, seulement, ou brisée ?

Fébrilement, elle fait jouer le déclic.

— Bonheur ! la lampe s'allume encore !

Le cauchemar de cette lourde obscurité est fini. Quoi qu'elle puisse voir... quelle que soit la réalité peu attrayante, tout est préférable à ce noir... à cet inconnu !

La jeune fille s'était mise debout. Curieusement, elle promenait autour d'elle la lueur faible, mais nette, de la petite lampe.

Etrange mystère !

Ceci *n'est pas le fond du puits.*

C'est une pièce ronde, assez vaste et voûtée. Les murs, absolument nus, sont formés de larges pierres très anciennes qui, pendant des années, des siècles peut-être, ont été lentement rongées par le salpêtre. Le sable moite du sol, les joints suintants de la maçonnerie, et surtout cet air confiné, renfermé, étouffant, tout indique que cet endroit est souterrain, profondément creusé dans la terre.

Mais comment... par où a-t-elle pu arriver dans cette pièce?

Du côté où elle croit être tombée, le mur est formé de grosses dalles unies et continues.

Eliane n'a pu passer à travers ces lourdes pierres... Elle calcule que l'une d'elles doit basculer... C'est en vain que la jeune fille essaye d'en ébranler une!

Et cependant, aucune autre explication n'est possible : dans sa chute, l'une de ces dalles a dû s'ouvrir, puis, entraînée par son propre poids, reprendre son aplomb et se refermer automatiquement.

Maintenant il faut, pour la rouvrir, appuyer sur le point précis qui fera jouer le ressort.

Il faut trouver le secret.

Hélas! le secret se dérobe!

Eliane a beau promener ses petits doigts sur la pierre immobile et y appuyer de toute sa force, rien ne bouge! La prison reste murée sur l'enfant trop hardie qui commence à s'inquiéter sérieusement du résultat de sa témérité.

Que doit-elle faire?

Rester là? Attendre?

Attendre, c'est peut-être le secours qui viendra du dehors, mais escompter l'intervention des autres, c'est aussi, peut-être, attendre la mort par la faim et par l'asphyxie, car Eliane se souvient de la terreur que le vieux puits inspire à ceux qui sont en haut.

— Vont-ils savoir agir assez vite et avec efficacité?

Eliane est une lutteuse et une vaillante. Elle se dit qu'il sera toujours temps d'attendre et de s'en remettre aux autres du soin de la tirer de là. Avant d'en arriver à cette passivité, elle doit essayer de se tirer d'embarras toute seule.

— Agir ! Oui, mille fois oui !

Il faut chercher une issue... Quel que soit ce souterrain, il doit déboucher quelque part : il faut trouver !

Avant de s'éloigner, Eliane, pour commencer, décide d'examiner chaque pierre du mur... chaque fissure... Par là, fatalement, est la plus proche issue.

Ce second examen ne révèle rien de plus que le premier... Ni déclic, ni ressort caché !

Si, parmi toutes ces pierres, il en est une qui bascule et donne accès dans le vieux puits, le secret est bien gardé : la paroi lisse ne permet aucune espérance.

Heureusement, la jeune fille est un être énergique, maître de ses nerfs. La déception ne lui fait pas perdre la tête.

— Il ne s'agit pas de s'attendrir et de se désespérer, songe-t-elle avec vaillance. Il faut sortir de là.

Cette fois, elle fait le tour de cette espèce de rotonde souterraine.

Sa lampe guide ses pas hésitants pendant qu'elle longe la muraille salpêtrée.

Devant le mince faisceau de lumière, l'ombre recule, mais rien n'apparaît que le mur brutal et nu.

Elle avance encore, un peu oppressée, mais sans découragement.

— Là... derrière cette espèce de pilier... ce coin d'ombre ?

Avec un petit frisson, elle projette la lueur de sa lampe.

La lumière se perd dans un trou noir et ne se heurte plus au mur.

Vivement, elle éclaire à droite, à gauche : c'est bien l'entrée d'un couloir, l'issue tant cherchée, probablement !

Où cela va-t-il la mener ?... Vers quelle libération ou vers quelle danger ?

N'importe ! La seule voie de salut est là, puisque tout le reste est muré.

Et Eliane, courageuse, va se lancer dans ce redoutable inconnu.

Cependant, comme la bravoure n'exclut pas la prudence, la jeune fille pense soudain qu'elle possède une arme... Elle a vu tout à l'heure que le fusil du garde était chargé. Au besoin, elle saurait s'en servir.

Il ne faut pas négliger un tel auxiliaire.

Elle retourne donc à l'endroit où elle est tombée et où elle a abandonné le fusil. Elle le ramasse et, moderne petite Diane, l'arme pesante d'une main, la lumière dansante de l'autre, elle s'avance dans le couloir.

A présent, elle marche droit devant elle !... Toujours droit.

La lampe éclaire, à ses côtés, les murs parallèles, ces murs épais et sourds faits de grosses pierres vieillies comme celles de la salle ronde qu'elle vient de quitter. Ces murs qui se rejoignent en voûte basse au-dessus de sa tête et qui n'offrent au regard ni ouverture, ni porte, ni excavation... Courageusement elle marche avec, sous ses pieds, ce sable moite et poudreux et, autour d'elle, cette atmosphère renfermée de pièce mal ventilée.

Elle marche.

Et, dans le sable, ses petits pieds s'alourdissent et se traînent.

Et, sur les murs unis, la lueur de la lampe vacille.

Elle avance toujours derrière ce petit cône de lumière tremblante... l'ombre devant, l'ombre derrière !

Elle marche... pauvre petite chose perdue dans les profondeurs de la terre.

Elle marche, machinalement, inlassablement, pendant des heures !...

II

EN PLEIN DRAME

Ils ne sont pas rares, sous la terre française, ces longs souterrains creusés aux époques guerrières, Moyen Age, ou temps plus lointains encore, remontant aux Romains, lorsqu'il s'agissait, en cas de siège, de déjouer la surveillance de l'ennemi, pour recevoir des renforts ou se ravitailler à des lieues et des lieues parfois de distance. On en connaît qui ont de quinze à vingt kilomètres et qui, partis d'un château imposant, aboutissent toujours dans un endroit désert, lande ou forêt, loin de toute habitation.

On trouve encore, en Touraine, des vestiges *souterrains* de voie romaine, longs de plusieurs kilomètres. Ces routes sont bordées de pierres fichées en terre qui ne laissent aucun doute sur l'époque où elles ont été creusées.

Eliane suppose qu'elle est dans un de ces tunnels interminables du temps passé !

Et voilà que cette marche sans trêve ni repos, cette marche vers un but qui, d'instant en instant, reculait devant elle, devenait quelque chose d'épuisant et de démoralisant.

La jeune fille avait perdu la notion du temps.

172

Depuis combien d'heures marche-t-elle ? A sa fatigue, elle se rend compte qu'il y a longtemps.

Maintenant, elle avançait péniblement. La respiration dans cet air moisi et lourd devenait de plus en plus difficile.

Son bras, engourdi par le poids du fusil, laissait traîner, par moments, la crosse sur le sol.

Il en résultait un bruit qui se répercutait en écho sous les voûtes et la glaçait d'effroi.

Sa fatigue physique allait-elle donc avoir raison de son beau courage ?

Elle sentait sa tête lourde, un battement douloureux persistait à ses tempes. Epuisement, faiblesse ou congestion par manque d'air, la malheureuse se demandait avec inquiétude si elle n'allait pas tomber avant d'arriver au but.

Elle allait toujours de l'avant, cependant ; mais lentement, et n'avançant plus qu'à petits pas, ses pieds alourdis heurtant le sol irrégulier et butant sur le moindre caillou.

Il devait y avoir longtemps qu'elle marchait ainsi, car, à son extrême fatigue, la faim et la soif s'ajoutaient.

— Allons, courage ! répétait-elle d'une voix sans timbre. Il faut sortir de ce souterrain de cauchemar. Il faut...

La volonté ne suffit pas toujours à maintenir la force physique. Une torpeur l'envahissait, tout son corps épuisé était secoué de longs frissons.

— La fièvre ? le sommeil ? s'inquiétait-elle avec épouvante. Si je tombe, je suis perdue !

Et cette crainte la faisait encore franchir quelques mètres, d'un pas de somnambule, mécanique et las.

Mais voici que, devant elle, les murs, dans

l'étroit cône de lumière, semblent devenir rouges. Peu à peu, tout s'assombrit. Le noir se rapproche, les ténèbres l'encerclent et l'étouffent.

C'est sa lampe qui agonise et qui, bientôt, s'éteint.

Atterrée, la malheureuse s'est arrêtée. Elle est si lasse qu'il lui semble que, pour elle aussi, bientôt, ce sera la fin.

Un moment, l'idée lui vient de se laisser tomber sur le sol et d'attendre là, inconsciemment, la mort qui ne peut manquer de venir.

Ce qui la maintient debout, en un pareil moment de dépression, c'est la pensée des bêtes qui peuplent peut-être ce long boyau.

Maintenant qu'elle est sans lumière, tout son beau courage sportif est annihilé.

Elle n'est plus qu'une faible femme aux frayeurs irraisonnées. Elle a peur du noir, des obstacles sur lesquels elle va buter, des ennemis invisibles qui peuvent la menacer.

Quelles bêtes rampantes vivent le long de ces murs ?

Quelles affreuses araignées visqueuses et velues dont les toiles pendent sur sa tête ?

Et ce sont ces affolantes terreurs qui la font se remettre en marche, malgré ses frissons, cette soif qui lui brûle la gorge, et ce poids sur la tête qui semble l'assommer.

En marchant, elle s'appuie sur le fusil, dont la crosse traîne et cogne les pierres. Mais l'arme est trop lourde pour la main fragile qui s'y cramponne.

Un bruit métallique et sourd, qui enfle l'écho, retentit.

C'est Eliane qui a lâché le fusil.

A présent, sans appui, brisée de fatigue, de peur

et d'émotion, la fiancée de Roger Croixmare n'est plus qu'un pauvre être inconscient qui se traîne... fait quelques mètres... quelques pas... puis tombe, inanimé.

Combien de temps la malheureuse dormit-elle ou resta-t-elle évanouie ?

Nul ne saurait évaluer la multiplicité des minutes qui coulent dans un absolu de silence et de ténèbres.

Quand elle s'éveilla, elle fut d'abord affolée de tout ce noir autour d'elle, puis, peu à peu, la conscience revint pour lui rappeler l'horrible réalité :

— Perdue sous terre !

Pourtant, la faiblesse qui l'a terrassée l'a du même coup contrainte à un repos forcé, et celui-ci semble avoir infusé un peu de vaillanca en son âme.

A vingt ans, le sommeil est le grand réparateur. Eliane est plus forte, à présent, malgré sa terreur et son trouble ; elle a retrouvé sa volonté de sortir de cet étroit boyau.

— Il faut que je marche ! Il faut faire un dernier essai ! murmure-t-elle entre ses dents, que l'effort tient serrées.

Et, à tâtons, sur les genoux et sur les mains, elle se traîne vers l'avant.

Encore un temps qui lui parut interminable dans cette obscurité sinistre. Elle avançait lentement ; toute son énergie, comme toute sa vitalité, étaient concentrées dans son regard tendu qui s'efforçait de percer l'ombre.

Et voici que, tout à coup, il lui sembla apercevoir une lueur vague qui s'accentuait à mesure qu'elle avançait péniblement.

Vingt mètres plus loin, la lueur était plus nette ; après cette nuit affreuse, elle apparaissait comme une aube nouvelle.

En même temps, l'atmosphère était moins lourde ; Eliane respirait mieux ; un air presque pur remplissait délicieusement ses poumons.

Un grand sursaut de courage la mit debout et la jeta en avant dans un bond d'espoir et de joie.

Ce fut en titubant qu'elle franchit cette pénible étape qui la séparait de l'ouverture lumineuse.

La certitude de la délivrance soutenait ses dernières forces ; elle était sauvée, puisqu'elle allait revoir le ciel !

L'ouverture était étroite parmi les pierres éboulées et des broussailles l'obstruaient presque entièrement.

Pour se trouver à l'air libre, Eliane dut franchir à quatre pattes un buisson de ronces qui la déchira de toutes parts.

Mais, enfin, elle était dehors, dans un soleil lumineux, sous l'immensité du ciel bleu, échappée des affolantes ténèbres et du long boyau, vomie des profondeurs souterraines.

Autour d'elle, c'était la lande. A perte de vue, des ajoncs, dont beaucoup étaient plus hauts qu'elle, entouraient ce lieu comme d'une forêt de piquants.

Ivre de joie, elle aurait voulu sauter, chanter, courir... Elle n'était réellement qu'ivre de fatigue, de faiblesse et d'inanition.

L'air pur, qui vivifiait sa poitrine, l'étourdit comme un breuvage trop alcoolisé et tout se mit à tourner autour d'elle.

Se sentant vaciller, elle voulut s'accrocher à une touffe de genêts, qui ploya sous son poids, et elle tomba, inconsciente du danger qu'offrait la sauvage nature, dans un buisson d'ajoncs où son corps se tassa en s'ensanglantant aux épines.

Prisonnière d'une végétation trop puissante, en cette lande bretonne. Eliane, la douce fiancée de Roger Croixmare, inanimée en plein air, dans les ajoncs inaccessibles, était autant en danger que dans le souterrain enténébré.

Loin d'un village, de la route et de tout sentier battu, défendue par un désert de plantes épineuses infranchissables à l'homme qui ne les coupe que tous les trois ans pour en alimenter ses fournils, qui donc aurait eu l'idée de soupçonner la présence d'un être humain dans un lieu aussi impénétrable ?

Un miracle seul pouvait sauver la jeune fille.

Elle était belle, elle était jeune...

Un homme n'avait pas oublié sa grâce juvénile...

L'amour, peut-être, allait faire le miracle d'arracher sa proie à la nature hostile...

III

CELUI QU'ON N'ATTENDAIT PAS

Souriante, blonde et blanche dans sa blouse immaculée, la petite infirmière entra dans la chambre 12, portant sur un plateau une tasse de thé, un flacon et un journal.

La pièce où elle pénétrait était une classique chambre de clinique : faïence et ripolin blanc. Le lit vide était déjà correctement refait et, sur une chaise longue d'osier, un jeune homme, le bras en écharpe et le visage un peu pâle, la regardait venir avec une complète indifférence.

— Merci, mademoiselle, murmura-t-il, lorsqu'il eut bu son thé, dans lequel elle avait versé la potion reconstituante.

Puis il prit le journal et l'ouvrit d'un air distrait.

Soudain, il eut une sourde exclamation et son visage exprima un véritable émoi. Il rappela l'infirmière :

— Mademoiselle, les journaux du soir ont-ils paru ? demanda-t-il fébrilement.

— Il est encore bien tôt... on ne doit trouver que ceux de midi.

— Je vous en prie, mademoiselle, veuillez me

faire envoyer au plus vite tous ceux qui paraîtront, dès qu'on pourra se les procurer.

Et comme la jeune fille allait se retirer, il ajouta :

— Voulez-vous aussi avoir l'obligeance de faire remplir au plus tôt les formalités pour ma sortie ?

— Votre sortie ? répéta l'infirmière, souriante. Oh ! monsieur, nous avons le temps d'y penser. Il faut d'abord que votre bras et votre épaule...

— Tous deux sont solides, interrompit le blessé en sortant son bras de l'écharpe et en essayant quelques gestes. Ce ne sont pas de cela qu'il s'agit : il faut absolument que je quitte cette clinique au plus tôt. Voulez-vous, mademoiselle, dès que le docteur arrivera pour la visite de l'après-midi, lui dire que je désire lui parler ?

Lorsque la jeune fille fut sortie, le malade reprit son journal et demeura longtemps pensif devant cette manchette écrite en gros caractères :

LE MYSTERE DU VIEUX PUITS

Et, en plus petites lettres :
La terre engloutit une jeune fille vivante,
et garde sa proie et son secret.
Suivait l'article très court :

« Toute la région de Plougras, près de Guingamp, est violemment émue par l'événement le plus extraordinaire que l'imagination puisse concevoir.

« Dans des circonstances que nous relaterons après plus ample information, une jeune fille tombe dans un puits, sous les yeux de son fiancé et de tous les serviteurs de celui-ci.

« Les recherches entreprises immédiatement pour lui porter secours n'ont donné aucun résultat. Et, ce qui est inconcevable, c'est qu'on a pu atteindre le fond du puits, qui est desséché et facile à explorer, sans trouver le corps, mort ou vif, de la jeune fille. Celle-ci semble s'être absolument volatilisée.

« Le mystère reste inexplicable.

Et le reporter ajoutait :

« L'arrivée du célèbre détective Louis Manzin est attendue et apportera sans doute la lumière sur cette étrange et ténébreuse affaire. »

Aucun nom n'était donné autre que celui du vieux puits et l'indication de la région. Mais le jeune homme n'avait pas eu une seconde d'hésitation.

Il savait, lui !

Lorsque, une heure après, le docteur entra dans la chambre 12, il trouva son blessé habillé, prêt pour le départ et la pièce jonchée de journaux épars qui relataient, tous, l'événement.

Ceux-là fourmillaient de détails : on savait que le drame s'était déroulé aux Houx-Noirs et que l'héroïne, ou la victime, était Eliane de Surtot. Tout était mentionné, depuis le rôle du garde Morvan jusqu'à la légende de l'ancêtre Hugues Croixmare, le fier colonel des gardes, tout...

Mais le dénouement attendu ne se produisait pas : aujourd'hui comme hier, la terre gardait son mystère.

Le docteur Brault fit quelques difficultés pour laisser partir son malade.

C'est lui qui l'avait fait admettre dans cette

180

clinique quelques semaines auparavant, alors que, blessé, épuisé par la fièvre et la douleur, le malheureux était venu frapper à sa porte et réclamer les soins que nécessitait son état.

Depuis longtemps déjà, les deux hommes étaient liés par des liens d'amitié et d'indulgence du savant pour le jeune homme n'avait d'égale que l'affectueuse confiance de celui-ci pour le premier.

— Allons, allons ! protesta le docteur à la demande de sortie du blessé. Qu'est-ce que cette fantaisie ? Je parie qu'il y a une femme là-dessous ?

— En effet, fit l'autre en souriant. Il y a une femme, mais ce n'est pas ce que tu crois.

— N'importe ! Je ne te permets pas encore de te passer de mes soins. Cette demoiselle attendra.

— Ecoute, Brault, il s'agit d'une question de vie ou de mort.

— Pour toi ? Quelle blague !

— Non, pour elle ! Une femme est en danger et moi seul puis la sauver.

— Quelle est cette nouvelle histoire ?

— Une vérité... Pardonne-moi de ne pas t'en dire davantage, il s'agit d'un atroce secret de famille... mais, si je tarde davantage à faire mon devoir, une enfant innocente va mourir sans soins et sans secours.

— Diable ! fit le docteur, devant une telle assurance. Je ne veux pas t'empêcher d'accomplir ce que tu estimes être un impérieux devoir... Je vais te bander solidement l'épaule et le bras... Evite de trop remuer celui-ci. Et à Dieu vat, mon vieux ! S'il t'arrive quelque complication dans ton état, c'est toi qui l'auras voulu.

— Merci, Brault ! Je n'attendais pas moins de ton amitié.

Une fois le bras du malade solidement bandé, les deux hommes se serrèrent fortement la main.

— Encore une fois, merci, docteur. Toute ma reconnaissance t'est acquise pour tes bons soins, en attendant que je puisse te le prouver autrement que par des paroles.

Ils allaient se séparer, quand le chirurgien sortit son portefeuille de sa poche.

— Dis donc, vieux, je pense que si tu dois porter secours incessamment à quelqu'un, tu n'auras pas la possibilité, à cette heure, de passer à ta banque... Tu permets...

Comme il voyait le blessé rougir subitement sous une gêne évidente, le docteur se mit à rire.

— Entre copains, voyons... Tu me rendras ça plus tard... Vois-tu, je sème comme ça, à droite et à gauche, de petites sommes insignifiantes et, quand j'en ai besoin, je les retrouve aussi facilement que si je les avais confiées à mon banquier.

L'autre ne répondit pas, il était trop ému, mais le docteur, qui le regardait, vit une humidité voiler les yeux rougis et cette silencieuse émotion lui fut plus précieuse que les quelques billets qu'il mettait de force dans la main de son camarade.

— A présent, file, puisque c'est pressé ! dit-il au blessé. Et si vraiment tu peux sauver la vie de quelqu'un, apprends-moi seulement que tu as réussi : ça me fera plaisir !

— Que Dieu permette que j'arrive à temps ! répondit l'autre sourdement.

Il y avait une telle anxiété dans sa voix que le docteur, en lui donnant l'accolade, ne put s'empêcher de lui dire :

— Je reste à ta disposition... si tu as besoin de

moi ; dans n'importe quelle circonstance, compte sur moi.

— Merci, Brault ! Merci !... Je ferai peut-être appel à ta science, mais, pour le moment, c'est de l'aide du Ciel que j'ai besoin... Au revoir !

Ils se séparèrent : le blessé avait hâte d'agir... Ne fallait-il pas que, dans le plus court délai, il organisât son expédition en Bretagne ?

Il s'était dit, deux heures auparavant, après avoir lu les journaux qui lui apprenaient la nouvelle du drame des Houx-Noirs :

— Moi seul peux la sauver !

Il savait, en effet.

Il déchiffrait la clef du mystère mieux que tous les détectives, que tous les reporters, puisqu'il était peut-être le seul au monde à connaître l'existence du souterrain et l'endroit approximatif où celui-ci débouchait dans la lande.

Un hasard dramatique l'avait mis au courant dernièrement.

De cette découverte récente, il tirait toutes les déductions possibles, au point qu'il lui semblait que la Providence, en lui faisant connaître l'existence du tunnel, avait voulu lier son sort à celui de Mlle de Surtot et lui créer l'obligation d'aller la secourir.

Mais de Paris au souterrain où celle-ci était enfermée, il y avait à franchir une distance de plus de cinq cent cinquante kilomètres, et la volonté ne suffit pas toujours à réaliser un tel raid.

Il faut croire, cependant, qu'elle fut un levier très puissant pour notre héros, puisqu'elle l'aida à triompher de toutes les difficultés.

La plus grande, certes, aurait été le manque d'argent. Or, le hasard, qui semblait protéger le jeune homme en cette occasion, avait suscité chez le docteur Brault un geste qui réduisait à néant ce gros obstacle.

Le blessé vint à bout facilement de toutes les autres complications.

De même qu'il avait convaincu le chirurgien de la nécessité où il était de quitter la clinique, il sut persuader un ami, propriétaire d'un garage, de lui prêter, moyennant une somme relativement faible, une bonne vieille auto capable de le conduire en Bretagne.

C'était une torpédo démodée ; mais le garagiste la garantissait capable de faire, sans fléchir, ses soixante-quinze kilomètres à l'heure. C'était suffisant pour arriver là-bas au petit jour.

Par ailleurs, notre jeune homme rassemblait hâtivement tout un amalgame de choses les plus diverses : des couvertures de voyage, une solide lanterne, un panier de victuailles, une petite trousse pharmaceutique, deux thermos dont l'un fut rempli de thé et l'autre de bouillon. Du lait eût peut-être été mieux indiqué, mais les cahots de la voiture l'auraient certainement aigri.

Bref, notre ami réunit tout un assemblage hétéroclite qui lui paraissait indispensable pour mener à bien son sauvetage.

Il faisait nuit noire quand il quitta Paris, guidant de sa main valide l'auto, qui roulait aussi vite que le permettait son vieux moteur encore solide.

IV

LA LANDE BRETONNE

Mais quel était donc ce singulier blessé qui, sans souci de soins que nécessitait son état, abandonnait l'hospitalière clinique pour courir au secours d'Eliane de Surtot ?

Quels liens pouvaient l'attacher à la victime du vieux puits ? Et pourquoi le fait de connaître l'existence du souterrain suffisait-il à mettre une telle anxiété dans ses yeux ?

Il faut croire que quelque chose de plus intime, de plus poignant le poussait à agir en personne, puisqu'il ne songeait pas à réclamer le concours de la police, alors qu'il n'aurait eu besoin que d'éclairer celle-ci sur l'existence du mystérieux tunnel et du lieu de son débouché dans la lande bretonne pour éviter de faire lui-même une randonnée aussi exténuante.

Toute la nuit, cependant, le jeune homme se hâta, infatigable et sans défaillance.

Insensible au sommeil et à cette douleur sourde qui ne quittait pas son épaule, il roula, l'esprit tendu vers le but.

Il conduisait avec une prudence imposée par l'âge respectable du véhicule et la douleur que lui causait chaque mouvement un peu vif, tout en s'efforçant, cependant, d'obtenir le maximum possible de vitesse.

Son esprit impatient était déjà au terme de son voyage, avec la crainte de ne pas trouver tout de suite l'endroit exact où le souterrain débouchait dans la lande.

Il avait fait lui-même le trajet, en sens inverse, quelques semaines auparavant, de l'ouverture du tunnel à Guingamp ; mais, cette fois-là, il était dans un tel état de trouble physique et moral qu'il lui était difficile de retrouver un souvenir précis.

Cependant, il avait noté un point de repère. La lande vallonnée était bordée par le chemin de Plougras à Locquivy... la route n° 15 ! Ce chiffre était resté dans la mémoire comme une obsession de fièvre... Ce chiffre peint en noir sur la borne kilométrique près de laquelle il s'était assis, épuisé !

Qu'il retrouvât cette borne et il n'aurait plus qu'à plonger dans les ajoncs et à chercher loin de la route, au fond du plateau, vers les grands arbres qui escaladaient les hauteurs...

Enfin, l'aube blanchissante éclaira pour lui la lande bretonne, si mélancolique au petit jour.

Dans deux heures, il serait à Guingamp, un peu après, à Belle-Isle-en-Terre, puis à Locquivy...

Ensuite, seulement, commencerait la difficulté.

Le jour était complètement levé quand le beau clocher de granit de la petite église de Plougras apparut, dans le lointain, à l'automobiliste.

Celui-ci connaissait l'endroit.

Souvent, dans son enfance, il avait parcouru la région à bicyclette et il aimait, alors, à franchir le petit cimetière qui enserre l'église d'un écrin protecteur et semble défendre ce joyau du XVIᵉ siècle contre l'audace des véhicules modernes. L'adolescent enthousiaste qu'il était dans ce temps-là s'arrêtait toujours pour admirer le porche aux pierres ciselées et la nef intérieure, magnifique vaisseau de bois mieux conservé que les nefs de Tréguier et de le Clarté, et qui est une pure merveille trop inconnue des touristes.

Mais l'église de Plougras ne disait rien, ce matin-là, au voyageur, et n'éveillait en lui que de vagues souvenirs.

De la terre, une buée légère s'élevait, annonciatrice de beau temps.

Le conducteur avait arrêté sa voiture à la lisière du bois d'ajoncs, près de la borne kilométrique dont le numéro était resté dans sa mémoire.

Il s'orienta.

Les Houx-Noirs étaient situés vers les bois de Beffou, là, sur sa gauche... Le souterrain qui partait du vieux puits devait donc s'allonger sous le coteau et s'ouvrir au fond de la lande, au pied des hauteurs boisées qui coupaient l'horizon de ce côté.

L'homme se chargea d'une musette qui contenait un des thermos et divers objets, dont le paquet de bougies... D'une main, il tenait la lanterne ; de l'autre, un bâton avec lequel il comptait écarter les broussailles.

Un vague chemin de terre mal tracé traversait l'extrémité du plateau. Le voyageur s'y engagea avec le désir d'arriver à l'autre lisière de cette plaine d'ajoncs et de la remonter. Cela lui demanda du temps.

Il allait sans aucun indice, n'ayant qu'une très confuse idée de sa direction.

Tout à coup, il se trouva arrêté par une butée de pierres. Il la longea, s'apercevant que la lande était plus longue que large et qu'il l'avait traversée entièrement...

S'était-il donc trompé d'endroit ?

Les minutes étaient précieuses ; combien allait-il en perdre ainsi dans ses inutiles recherches ?

Il avait marché longtemps et se sentait las, presque découragé.

Comment se reconnaître dans ces touffes épineuses, toutes pareilles, qui le déchiraient de leurs milliers de piquants et qu'aucune éclaircie ne traversait.

Une inquiétude grandissait en lui.

Allait-il pouvoir arriver assez tôt près de la pauvre enfant dont il connaissait la situation critique ?

Serait-il venu en vain de si loin pour échouer tout près du but ?

Il se remit en marche, véritablement anxieux.

Pour éviter de revenir sur ses pas, il suivit le pied du coteau qui formait cette sorte d'ourlet pierreux le long du plateau d'ajoncs.

Un instinct plus fort que sa raison l'entraînait vers le point le plus éloigné de la route.

Le soleil était déjà haut sur l'horizon. Les arbres encore humides de la pluie nocturne, étincelaient sous les rayons lumineux.

L'homme observait machinalement cet admirable spectacle, lorsqu'il s'arrêta soudain avec une exclamation de joie.

Devant lui, un bouquet de genêts, très grands, très jaunes, se détachait sur la verdure pâle des ajoncs environnants... Ces genêts, il les avait remarqués sur sa droite, en sortant du ravin tant cherché.

Il avança de quelques pas. En effet, derrière le sombre bosquet, le terrain déclinait rapidement.

L'homme se précipita. En quelques instants, il fut au fond de la petite cavité. C'était bien là, les pierres éboulées, les broussailles... l'entrée, enfin, du sinistre couloir !

— Que Dieu soit loué ! s'écria-t-il. Voici l'endroit !

Un instant, il se recueillit, le visage grave.

Quelle vision évoquait-il ? Souvenirs terribles d'une angoisse passée ou atroce appréhension de ce qu'il allait trouver ?

Puis il se décida...

Malgré tout son calme courage, le jeune homme eut un frisson en franchissant à quatre pattes l'étroite ouverture qui donnait accès au souterrain obscur.

Il avait allumé sa lanterne et la promenait autour de lui, observant avec soin le sol et les murs.

Rien qui fût un indice particulier.

Sur le sable, pourtant, des pas étaient marqués... des traînées plutôt, ne permettant de reconnaître ni la forme ni la dimension des pieds.

Peut-être, dans ce repaire si dissimulé, étaient-ce d'autres traces que celles de la jeune fille qu'il retrouvait après plusieurs semaines ?

Lui seul pouvait le savoir.

Il avançait.

Tout à coup, il tressaillit.

Plus de doute, quelqu'un avait rampé sur ce sable, quelqu'un qui n'avait plus la force de se tenir debout.

— Mon Dieu ! Serait-elle venue jusqu'ici ?

Plus attentivement, il poursuivit son examen des lieux et constata que le salpêtre du mur avait été zébré par des mains tâtonnantes.

A mesure qu'il avançait, il projetait devant lui la lueur jaune de sa lanterne. Il cherchait un indice convaincant, et voici que son pied heurta quelque chose de métallique.

Il se baissa et ramassa une lampe électrique... cette lampe perfectionnée qui avait guidé si long-temps Eliane dans les ténèbres...

Vingt mètres plus loin, c'était un fusil qui s'allongeait en travers de l'étroit couloir.

Et l'homme, tout de suite, se rendit compte.

— La lampe et le fusil du garde dont les journaux ont parlé... La pauvre enfant a donc pu venir jusqu'ici ?

Il y a plus d'une demi-heure qu'il marche dans ce souterrain. Cela représente environ quinze cents mètres depuis l'ouverture.

— Eliane n'avait plus la force de traîner ce fusil, réfléchit-il. A-t-elle pu tout de même gagner la sortie ? Ou, sans lumière, est-elle retournée sur ses pas sans s'en apercevoir ?

Ce point est important ! S'il abandonne ses recherches, il risque d'abandonner la jeune fille dans le souterrain, et, s'il poursuit sa route, il perd peut-être son temps à chercher la malheureuse là où elle n'est pas.

Un long examen du sol le convainc bientôt qu'elle n'a pas dû revenir en arrière. Il n'y a véritablement aucune trace de pas, grands ou petits, qui aillent vers le vieux puits.

Alors, vivement, le jeune homme rebrousse chamin. Cette longue traînée sur le sol qu'il a remarquée en venant lui semble éloquente, à présent.

Elle lui révèle que la pauvre enfant, complètement épuisée, a rampé à terre pour la dernière partie du parcours. Elle n'a pas dû aller bien loin. Ce n'est plus dans le souterrain qu'il doit chercher l'abandonnée, c'est dans la lande, aux alentours du débouché.

Et l'idée qu'Eliane a peut-être passé la nuit dehors, livrée aux bêtes nocturnes ou aux intempéries, redouble son ardeur.

Avec cette hâte fébrile, maintenant, il a regagné l'ouverture.

Le voici dehors. Et les broussailles, et les ajoncs puissants l'entourent inextricablement.

Avec précaution, pour n'effacer aucune trace, l'homme explore les environs immédiats.

C'est par là, à droite, qu'il est arrivé.

A gauche, tout passage est impossible... Mais là, en face... une branche brisée, l'herbe froissée.

Il suit le faible indice et fait quelques pas.

Il a cru entendre un soupir.

Oui, là, tout près, quelqu'un respire avec peine... c'est presque un râle !

Un pas encore... Il écarte les genêts humides. Là, derrière les longues branches graduées de fleurs jaunes, dans les ajoncs mouillés, la jeune fille est étendue, le visage zébré de sang, la poitrine oppressée par une respiration sifflante et les yeux clos, si tragiquement cernés.

Le voyageur, cependant, se sent le cœur léger :

— Elle est retrouvée ! Elle est vivante !

Sa poitrine, enfin, se dilate !

Après l'avoir crue perdue à jamais, n'est-ce pas un bonheur inouï que de la tenir en vie, contre lui ?

Malgré toutes les difficultés de l'heure, un merci reconnaissant s'exhale des lèvres de l'inconnu et monte vers le ciel qui a permis le bienheureux sauvetage.

Puis, de sa besace, il sort le thermos où du thé tiède, aromatisé de rhum, va lui permettre de ranimer la victime du vieux puits.

Il lui en fait avaler quelques gorgées qu'elle boit inconsciemment dans la petite timbale de nickel qu'il a introduite entre ses lèvres.

Avec le thé encore, il lave le visage ensanglanté qui, nettoyé, apparaît sans blessure grave, simplemant égratigné de mille raies rouges insignifiantes.

Mais c'est cette respiration qui l'inquiète ; la malheureuse a dû prendre froid et une congestion pulmonaire la menace peut-être ?

Et comme il s'aperçoit qu'elle est vêtue d'une robe légère, que l'humidité plaque sur son corps, l'homme retire son veston et le lui passe autour des épaules.

Il reste encore à celui qui veut sauver Eliane une tâche à remplir.

Il lui faut ramener le plus vite possible la jeune fille jusqu'à sa voiture, à travers les ajoncs cruels.

Si, seulement, elle pouvait marcher ; mais le thé qui a ramené sur ses joues un peu de rose fiévreux ne l'a pas tirée de sa torpeur.

Blessé et fatigué, l'inconnu n'hésite pas, cependant. Il a abandonné fusil et lanterne dans l'entrée du souterrain ; il se déleste encore de tout ce qui lui est inutile et peut alléger sa charge.

Encore une gorgée de thé entre les lèvres de l'infortunée ; puis, courageusement, il enlève le corps fragile et le charge sur son épaule valide.

Avec son précieux fardeau, le sauveteur s'orientait, maintenant ; la voiture était au moins à trois cents mètres ; la rapprocher dans ce terrain bosselé et raviné était impossible. Il fallait porter la victime jusque-là.

En temps normal, sans être un colosse, le jeune homme aurait pu facilement transporter Eliane à une telle distance.

Mais aujourd'hui, avec son épaule blessée, tout mouvement du bras gauche étant impossible, il titubait sous la charge.

Pourtant, il ne renonçait pas. Les dents serrées, les yeux fixes, les veines du cou gonflées sous l'effort, il s'acharnait à sa tâche héroïque, contournant les buissons, allongeant encore la distance pour épargner à celle qu'il sauvait l'aiguillon des ajoncs trop épais.

C'est ainsi que, brisé de fatigue, mais triomphant, il arriva auprès de l'auto avec sa charge vivante.

Alors, seulement, il put donner véritablement des soins à la jeune fille. La petite trousse pharmaceutique qu'il avait emporté lui en fournit les éléments et le voyageur eut la joie de voir bientôt Eliane ouvrir les paupières et le regarder de ses grands yeux fixes, brillant de fièvre.

Elle ne parut pas s'étonner de la présence d'un inconnu près d'elle ; mais, instinctivement, elle fit un effort pour se dresser.

Trop faible encore pour se mouvoir, elle retomba aussitôt sur le bras masculin qui la soutenait ; cependant, cet effort semblait l'avoir éveillée complètement.

— J'ai soif, murmura-t-elle faiblement.

Ces deux syllabes bruirent aux oreilles du sauveteur comme une musique céleste.

193

Et quelle douceur pour le brave garçon d'avoir prévu ce moment-là et de pouvoir offrir à celle qui mourait d'inanition une timbale remplie de bouillon de légumes, un bouillon léger et reconstituant pour quelqu'un qui n'avait pas mangé depuis plus de quarante-huit heures !

Un peu restaurée, la jeune fille se laissa rouler dans les chaudes couvertures apportées de Paris. Son compagnon lui avait enlevé ses chaussures pour libérer les pieds meurtris, qu'il bassina d'une serviette humide ; il avait ensuite pansé ses égratignures et mis une compresse sur son front trop moite ; maintenant, il l'installait dans la voiture, qui, heureusement, était bien suspendue. La carrosserie de celle-ci, quoique vieillotte, permit d'allonger assez confortablement la malade sur les deux places arrière, les pieds reposant sur le couvercle d'une petite mallette posée à même le plancher.

Frissonnante de fièvre, engourdie de courbatures, Eliane le laissait faire sans dire un mot, mais son regard languissant suivait, comme dans un rêve, tous les gestes de son sauveur anonyme.

Peut-être se demandait-elle quel était cet inconnu qui se dévouait ainsi à son bien-être ? A moins que sa trop grande faiblesse l'empêchât de se rendre compte de ce qui se passait autour d'elle.

Elle ne fit pas un mouvement quand l'auto démarra. Au contraire, elle ferma les yeux comme si les cahots de la voiture la berçaient d'une douce torpeur.

Le conducteur avait repris le chemin de Plougras ; mais pourquoi traversa-t-il le village, tête baissée, casquette sur les yeux et col relevé comme s'il avait peur d'être reconnu ? Il évita aussi la route de gauche, qui l'eût conduit au-delà de Beffou, vers les Houx-Noirs où, normalement, il aurait dû reconduire la jeune fille.

Quel était donc ce mystérieux voyageur qui paraissait si bien connaître la région et qui conduisait sa voiture sans hésitation et sans consulter la carte, dans ce dédale de chemins paysans si semblables, tous, à qui ne les fréquente pas régulièrement ?

Par Huelgoat, Carhaix et Gourin, l'inconnu se dirigeait vers Rosporden où, à quelque quinze kilomètres de ce gros bourg, un de ses amis, Paul Morec, possédait un vieux manoir, vrai nid à hiboux, qu'il habitait seul avec une servante dévouée.

C'était la seule maison hospitalière que le sauveur d'Eliane connût en Bretagne, mais il était sûr d'y être accueilli à bras ouverts, lui et sa fragile compagne.

Plusieurs fois, en route, le conducteur s'arrêta.

De préférence, il choisissait les coins déserts pour venir s'assurer que sa malade ne manquait de rien et qu'elle était toujours confortablement installée. Il profitait de ces arrêts pour la nourrir un peu, ne se risquant que peu à peu à l'alimenter, car il craignait, après un si long jeûne, de lui faire plus de mal que de bien avec une nourriture trop substantielle.

Eliane se prêtait à ses soins, sans prononcer un mot ni faire un geste inutile. C'est lui qui la faisait boire, lui qui portait les mets à sa bouche sans qu'elle fît autre chose que de boire ou de manger docilement ce qu'il lui offrait.

Il y avait même une telle confiance en lui dans cette soumission que l'infirmier bénévole en était

195

ému et qu'il eût voulu pouvoir aller ainsi avec cette docile malade jusqu'au bout du monde.

Mais peut-être qu'Eliane avait recouvré toute sa connaissance ? On eût pu le croire, car, dans son visage aminci, ses grands yeux dorés suivaient tous les gestes de son compagnon qui les sentait peser sur lui, curieux, étonnés, indéchiffrables, et pourtant sans crainte, pleins d'une tranquille sécurité.

Parfois, leurs prunelles se croisaient et se pénétraient... La minute paraissait exquise au garçon, bien qu'il ne crût pas qu'Eliane se rendît compte de l'insistance de son regard poignant ; mais c'était lui qui, gêné, détournait la tête, avec l'obscure crainte que la jeune fille finît par s'émouvoir et par l'interroger.

Que lui aurait-il répondu si elle avait exigé qu'il la conduisît aux Houx-Noirs, auprès de ses parents et de son fiancé ?

Jamais il n'aurait accepté d'aller là-bas, mais quels prétextes eût-il inventés pour s'y refuser et la retenir auprès de lui, comme il le souhaitait si ardemment ?

Alors, il reprenait vite le volant et, talonné par la crainte qu'elle ne le questionnât sur leur itinéraire, il accélérait la vitesse comme s'il avait voulu couvrir la voix de celle qui, pourtant, ne lui demandait rien.

V

UNE SOMBRE HISTOIRE

Bossulan, le domaine de Paul Morec, que l'inconnu atteignit à la tombée du jour, était un vieux manoir breton bien ruiné et bien délabré, situé en Concarneau, dans le Finistère.

Dans cette grande demeure, aux toits cintrés et aux murs lézardés, trois pièces seulement restaient habitables. Au rez-de-chaussée, la grand-salle, destinée jadis à un personnel nombreux de serviteurs, avec ses lits clos, ses armoires alignées et son immense table de chêne. Maintenant, seule, Katou, la vieille servante, y régnait.

A côté de cette pièce, il y en avait une autre aussi importante : la salle des maîtres, avec sa cheminée monumentale, sa grande table ronde en acajou et ses deux lits aux rideaux de cretonne verte, ses lits plus *modernes* qui ne dataient que... du premier Empire !

C'est dans l'un d'eux que le voyageur, aidé de Katou, avait installé Eliane. Il avait dû lui-même déshabiller la jeune fille, parce que les vieux doigts malhabiles de la servante paysanne ne savaient point enlever une robe moderne... cette sorte de sac qui ne possède ni lacets ni boutons !

En revanche, Katou avait apporté et mis au lit de beaux draps blancs, un peu rugueux mais tout parfumés de l'odeur des genêts sur lesquels on étend les lessives.

Et maintenant, sous les chaudes couvertures, la jeune fille reposait, détendue, toujours à demi inconsciente.

Elle toussait, ayant dû prendre froid dans la lande durant sa longue immobilité, et comme la fièvre persistait, ceux qui la soignaient évitaient de trop l'alimenter, se contentant de lui faire absorber lait et tisanes chaudes.

Une fois Eliane soignée et couchée, le propriétaire de Bossulan, cordialement, avait fait asseoir son ami en face du grand feu flambant, auprès de la table ronde où Katou venait d'apporter le repas du soir.

— Un dîner rustique, mon cher vieux, s'excusait le maître de maison auprès du nouveau venu. Tu arrives à l'improviste et, dame ! tu tombes sur le repas traditionnel qui ne varie guère chez nous, tu le sais... la soupe, les pommes de terre et le lard, avec du cidre doux !

— Tout cela est excellent, Paul. Et c'est si réconfortant de se trouver ici, entre vieux amis... après les jours terribles que j'ai traversés depuis quelque temps ; après ces vingt-quatre dernières heures où j'ai connu bien des angoisses. Quelles aventures, mon cher !...

Il respira profondément.

La soupe grasse fumait dans les assiettes creuses ; la lampe à pétrole, sous l'abat-jour de carton, répandait un cercle de lumière qui ne dépassait guère la grande table et laissait dans l'ombre le coin où, sur le lit aux rideaux fleuris, reposait paisiblement Eliane.

— Raconte-moi cela, fit Paul... j'ai hâte de savoir quel concours de circonstances a pu t'amener à débarquer ce soir dans mon vieux Bossulan avec une épaule bandée... et une si belle jeune fille à ton bras valide !

L'autre eut un mouvement inquiet vers le lit où Eliane venait de remuer.

Il se leva et alla s'assurer qu'elle dormait.

La jeune fille, les yeux clos, reposait tranquillement.

— Tu permets, Paul ? demanda cependant le jeune homme.

Allant chercher le paravent qui masquait la porte et devait, en hiver, défendre la grande pièce des courants d'air trop vifs, il l'apporta près du lit de la malade et le disposa avec sollicitude pour mieux isoler celle-ci dans le calme et la pénombre.

Puis il revint s'asseoir à la grande table hospitalière, à côté de ce bon vieux feu de bois si clair et si gai qui brûlait en sifflant dans le grand âtre noir.

La lampe éclairait doucement la nappe de toile blanche immaculée, et le pain bis... Le gros pain rond coupé en deux, à côté de la soupière fumante. Tout était paisible, intime et familier, malgré le manque de luxe.

— Quel calme et reposant décor ! murmura doucement le Parisien.

Songeur, il s'accouda sur la table et resta silencieux, les yeux pleins de rêverie.

— Sais-tu à quoi je pense, Paul ? reprit-il après quelques instants. Au moment de faire le récit de toutes les choses tragiques et compliquées qui m'ont assailli ces dernières semaines, je suis frappé du calme et de la paix de ton vieux logis... et je songe à tous ceux qui se sont assis devant ce feu, sous le manteau de cette cheminée monumentale... à tous les pères et les grands-pères Morec qui ont mangé la soupe au lard à cette même table, à tous ces braves gens simples dont la vie tout unie s'est passée sans complication et sans drame...

— Oui, murmura Paul, pensif. Mais qui peut savoir ? Le drame, souvent, est dans le cœur seulement. Nos parents ont eu aussi leurs chagrins et leurs passions...

— Peut-être... mais, toi tu es un sage. Tu as choisi la vie libre et tranquille... Pourquoi n'ai-je pas suivi ton exemple, quand mes parents sont morts en me léguant modestement Bellefontaine ? Je posséderais encore cette vieille bicoque et je n'aurais pas, au fond de l'âme, tant d'amertumes et de désillusions !

— Tu n'étais peut-être pas fait pour vivre seul, comme le vieil ours que je suis... au fond de cette campagne déserte où les distractions sont rares et les jours brumeux trop nombreux !

Mais le Parisien était mélancolique en cette fin de journée, un peu trop fatigante pour un blessé mal remis encore de ses fractures.

Montrant du doigt le coin d'ombre où reposait Eliane, le jeune homme soupira :

— Vois-tu, fit-il à voix basse, le malheur dans une vie d'homme, c'est de ne pas être digne d'un ange comme celui-ci... c'est d'être sans fortune et de pas pouvoir offrir son nom à celle qu'on aimerait voir vivre à côté de soi...

— Ainsi, fit l'autre, étonné et ému du ton grave dont son ami avait parlé, cette demoiselle que tu m'apportes comme un objet précieux...

— N'est pas ce que tu crois... Elle ne m'est rien ! Je t'en donne l'assurance... Pas même une amie de rencontre. Si, moi, je connais son nom et n'ignore pas qui elle est, je suis sûr, en revanche, qu'elle n'a jamais entendu parler de moi et que je lui suis totalement inconnu.

— Bizarre ! Alors, comment est-elle ici avec toi ?

— Ah ! cela, c'est une autre histoire.

Il s'arrêta, regarda Paul Morec avec un sourire amusé.

— Je parie, fit-il, que, depuis trois jours, tu t'intéresses à cette jeune fille... comme tout le monde, d'ailleurs ! On ne parle que d'elle en ce moment !

— Quoi ?... Que veux-tu dire ?

— Tu vas comprendre ! Tu as lu les journaux, ces derniers jours ?

— Oui...

— Eh bien ! le mystère des Houx-Noirs a dû attirer ton attention... d'autant plus que tu connais les Croixmare et leur château.

— Evidemment ! Mais quel rapport ?

— Celui-ci, tout simplement : la jeune fille à qui tu as offert si spontanément l'hospitalité n'est autre que la disparue du vieux puits...

— Eliane de Surtot ?

— Elle-même.

— Ah ! par exemple !... Mais, explique ! Comment l'as-tu trouvée, toi ?

— Parce que je l'ai cherchée... J'ai failli moi-même être victime du vieux puits, il y a une vingtaine de jours.

— Toi ?

— Oui, je te raconterai !... Bref, quand hier j'ai

eu pris connaissance des journaux qui relataient la disparition de la fiancée de Roger Croixmare, j'ai compris que la malheureuse était ensevelie vivante dans un souterrain dont j'étais probablement le seul à connaître l'existence. J'ai pris l'auto d'un camarade et, de Paris à Plougras, j'ai roulé toute la nuit... J'ai eu la chance de pouvoir recueillir la pauvre enfant... Elle avait réussi à sortir du souterrain, mais elle était tombée inanimée, mourante de faim et de fatigue... Bien certainement, elle y serait restée ; personne n'aurait eu la pensée d'aller la chercher si loin de la route, et elle était impuissante à sortir de là toute seule !... Je l'ai ramassée et conduite ici... Voilà toute l'affaire.

— Oui, oui, je vois ! fit Paul Morec, le sourcil froncé sous l'effort de la réflexion ; je vois même que c'est assez embrouillé et, si tu veux que j'y comprenne quelque chose, il faut que tu me donnes d'autres détails.

— Tu as droit à toutes les explications... d'autant plus que cela me soulagera de te raconter l'histoire de ces dernières semaines. J'ai vécu des heures si atroces et connu des situations si tragiques que je me demande par quelle miraculeuse protection je suis encore vivant.

— Ton heure n'était pas probablement sonnée, fit gravement le Breton. J'ai conservé la croyance de mes pères et j'ai l'intime conviction que rien n'arrive ici-bas sans la permission du Très-Haut.

Le Parisien courba la tête, pensivement.

— Oui, fit-il lentement, l'heure n'était pas venue !... Mais j'ai eu si peu de chance jusqu'ici que je ne vois pas par quelle lamentable ironie la destinée s'est plu à me conserver en vie.

— Elle te réserve peut-être des compensations que tu ignores ?

— Souhaitons-le... sans trop oser l'espérer !

— Mais tout cela ne me dit pas pourquoi tu es si pessimiste, toi, habituellement si boute-en-train ? Quels ennuis as-tu donc affrontés, ces temps-ci ?

— Ah ! voilà ! J'ai eu tant de déboires que je ne sais par lesquels commencer pour te raconter tout judicieusement... Mais d'abord, parlons d'un autre qui est particulièrement mêlé aux événements de ces dernières semaines. Connais-tu Roger Croix-mare ?

— Ton cousin ?

— Oui, mon cousin.

— C'est un type qui ne m'est pas très sympathique.

— L'hypocrite n'est jamais très sympathique, observa l'autre avec un sourire désabusé. Or, Roger est l'un des êtres les plus doubles que j'aie jamais rencontrés. Dans sa famille, c'est un petit saint ; il joue au bon fils, sérieux et raisonnable !... Des tas de beaux sentiments... générosité exceptée, je dois dire, car il se montre, même chez lui, d'une économie touchant à l'avarice.

— Tu m'étonnes, mon cher ! L'économie est une vertu, dit-on, mais je n'aurais jamais eu l'idée de l'attribuer à Roger qui, à Paris, menait une vie de patachon...

— Justement, là se montrait l'autre face du bonhomme. Ça n'était même pas très joli !... Roger a eu de sales histoires : les femmes, le jeu... Tu me diras que dans tout cela il y a la manière ; mais Roger n'avait pas la manière élégante. Il était plutôt mufle avec les pauvres filles qu'il fréquentait et qu'il choisissait dans les pires milieux...

— Il me semble, cependant, avoir connu parmi ses relations intimes une femme assez intéressante.

— Nérelle ?

— Oui.

— Elle est, en effet, fort intelligente... assez vulgaire, mais pas bête... Et celle-là tient bien, tu peux me croire...

— Comment ? Il l'aime à ce point ?

— Non, c'est fini, l'amour ; mais Nérelle a été au courant de certaines petites choses... pas belles... pas propres... du temps où le vieil oncle vivait ! Tu te rappelles ? Cet oncle était la providence de Roger, lorsque celui-ci ne voulait pas avouer à sa mère une trop grosse perte au jeu ou à la Bourse.

— Il jouait beaucoup, en effet !

— Et il ne gagnait pas toujours ! Heureusement, le bon oncle casquait ! Et si gentiment... sans faire trop de morale. Un bon vieil oncle en or, quoi !... Tout de même, à un moment, la somme a été si forte que Croixmare, malgré son aplomb, n'a pas osé la lui demander...

— Alors ?

— Alors, il a préféré se la procurer autrement... c'est-à-dire vilainement. Le bon oncle ne songeait pas à se méfier du cher neveu et il laissait traîner son carnet de chèques que Roger a eu bien souvent entre les mains... Tu devines le reste ? Cette fois-là, il s'en est servi en imitant la signature de l'oncle.

— C'était très simple !

— Au contraire, ce fut assez difficile... C'est un travail délicat de bien imiter une signature. Roger dut s'y prendre à plusieurs fois... Il y a eu des ratés et ceux-ci sont entre les mains de Nérelle, chez qui mon imprudent cousin se livrait à cette petite fantaisie.

— Ça ne lui donne pas grand-chose, à Nérelle, interrompit Morec, puisque l'oncle était très riche et que Croixmare était son héritier. Ton cousin a pris une avance, somme toute ! Ce n'est pas très beau ; mais le vieux est mort, Roger a hérité de lui, qui donc aurait intérêt à ressusciter cette histoire ancienne ?

— C'est plus compliqué que tu ne le penses... Il y a eu un dénouement tragique : l'oncle était très vieux et il avait le cœur malade... Or, le beau neveu avait fait un tel trou dans le compte en banque du bonhomme que ce dernier s'en est aperçu... Quand il a compris que le coupable était son cher Roger, il a eu un tel coup qu'il en est mort subitement.

— Diable ! cela est plus grave ! Il y a là une responsabilité morale.

— D'autant plus que, de ce fait, Roger héritait de la fortune entière de son oncle... Or ce dernier (et mon cousin le savait fort bien) avait toujours eu l'intention d'en consacrer une partie à la création d'un préventorium pour les enfants menacés de tuberculose. Cette mort subite, sans testament spécial, a ramené automatiquement toute la fortune sur la tête de Roger.

— Qui n'a jamais songé, naturellement, à exécuter cette dernière volonté de son oncle ?

— Sois-en persuadé ! Ce qui fait que Roger a sur la conscience la mort de son oncle, d'une part, et, d'autre part, la privation pour un tas de pauvres gosses de soins et de grand air qui auraient pu leur rendre la santé et la vie.

— C'est lourd, en effet.

— Oh ! Roger n'a pas la conscience sensible. Un crime impuni ne compte guère pour un type de ce genre et il ne se doutait pas que le châtiment pouvait venir.

— De quelle manière ?

— Par les soins de Nérelle, ce qui est assez naturel de la part de cette femme que Roger a traitée avec la pire goujaterie... et par mon intermédiaire, ce qui est, je l'avoue, beaucoup moins joli !

— Comment ? Toi, tu as voulu tirer parti de cette sale histoire ? Je ne te reconnais pas là !

— Ecoute d'abord, avant de me juger... Ce n'est pas très reluisant, mais tu verras que j'ai de bonnes excuses... Laisse-moi, pour commencer, te rappeler quelle était ma situation chez Lanfred. Celui-ci était pour moi un véritable ami autant qu'un patron...

« Lanfred était jeune encore, marié, père de deux petits enfants ; toute la prospérité de son affaire reposait sur son activité et sur son travail personnel : il n'y avait pas de capitaux derrière lui. Or, malgré toute son énergie, Lanfred a subi les effets de la crise... Ces derniers mois, son affaire flanchait.

« Oh ! ce n'était pas irrémédiable : des échéances importantes arrivant au même moment, il ne s'agissait que d'y faire face. Il fallait seulement trouver quarante mille francs. Il le fallait absolument, et immédiatement.

« Quarante billets et tout était sauvé ! Si on ne les trouvait pas au jour fixé, l'affaire entière sombrait et je savais que Lanfred ne survivrait pas à la ruine et à la faillite.

« Je te l'ai dit, il était mon ami... C'était un type

énergique et probe, n'ayant pas mérité de se trouver devant une telle difficulté... J'ai voulu faire l'impossible pour l'aider.

« Tu m'objecteras qu'en voulant le tirer de ce mauvais pas, je travaillais aussi pour moi, puisque je me serais trouvé sans situation si son affaire avait sombré... Néanmoins, je te le jure, je pensais à lui plus qu'à moi. Et c'est alors que je me souvins d'une proposition à peine voilée de Nérelle... »

Jean s'arrêta, tendant l'oreille. Il lui avait semblé entendre remuer dans le vieux lit aux rideaux fleuris. Il se leva et, sur la pointe des pieds, s'approcha doucement du paravent.

Eliane, les yeux clos, continuait de dormir.

Rassuré, le jeune homme revint s'asseoir au coin du feu et continua :

— Nérelle, naturellement, est furieuse du mariage de Roger avec Eliane de Surtot. Elle ne songe qu'à se venger... Comme, autrefois, prévoyant le parti qu'elle pouvait tirer des fausses signatures, elle s'était bien gardée de jeter les ratés, tu devines ce qu'elle veut faire ?

— Je comprends pour elle... mais comment toi ?...

— Eh bien ! voilà ! Devant la détresse de mon patron, j'ai pensé tout de suite à m'adresser à mon cousin, dont je connais la grosse fortune, mais dont je connais aussi l'égoïsme et la sécheresse de cœur... Je ne pouvais espérer l'intéresser au malheur d'un autre homme. Le désespoir de Lanfred, la misère des enfants et de toute la famille, tout cela ne devait guère le toucher.

— C'est vraisemblable.

— Oh ! c'était certain ! Une seule chose avait chance de l'atteindre : la menace d'un déshonneur rendu public et ayant pour effet la rupture de son mariage avec Eliane.

— Il l'aime ?

— Je le crois... je le croyais, du moins, car je ne sais plus... Oui, j'estimais que cet amour et ce sens de l'honneur seraient plus forts que son avarice ; c'est pour cela que j'ai accepté d'user des preuves fournies par Nérelle.

Paul eut un pli de déplaisir au front.

— C'est du chantage, cela, mon vieux ! fit-il nettement.

— Oui, répondit Jean, en haussant les épaules. Du chantage, si tu veux, mais pour le bon motif... C'était de la justice, en somme !... Appelle cela comme tu voudras. L'important est que cela n'a pas réussi !

— Roger a refusé ?

— Oui... et violemment, encore ! Il s'est jeté tout simplement sur moi et a voulu m'étrangler...

— Rien que ça !

— Sans l'arrivée d'un domestique, ça y était ! Je râlais déjà sous son étreinte... Nous étions dans la maison ; si j'avais eu les pièces sur moi, il me les arrachait... Je ne les avais pas... alors...

Jean regarda du côté du lit, et baissant la voix :

— Alors, c'est moi qu'il fallait supprimer, dit-il tragiquement. Tu comprends ?

— Il t'a attaqué ?

— Pas dans la maison... Un meurtre et un cadavre, c'est gênant ! Les circonstances le favorisaient merveilleusement. Il était une heure du matin et, pour aller dormir, je devais gagner le pavillon où l'on m'avait logé, toutes les chambres du château étant occupées... Tu connais les Houx-Noirs ?

— Oui.

— Tu sais que le pavillon est situé de l'autre côté du parc et tout proche du vieux puits, dont tu n'as pas oublié la légende et la sinistre réputation ?

— Oui, oui, je sais !

— Alors, tu devines ? Il me fallait passer sous les sapins. Roger m'a laissé partir seul, mais il a couru après moi... Je venais de m'engager sous la futaie, avec une impression lugubre, due sans doute à ma nervosité, après cette violente discussion...

— Je devine.

— Lorsque, tout à coup, j'entends un pas précipité derrière moi... Avant que j'aie pu me rendre compte, je suis saisi aux épaules et terrassé... Ce fut affreux et si rapide.

— Mon pauvre vieux !

— Si rapide !... Toute ma vie, je me souviendrai. J'ai essayé de me défendre, mais que peut faire un homme attaqué par-derrière ?... Roger est un colosse et sa force était décuplée par la colère.

— Alors ? questionna l'autre haletant.

— Je n'étais qu'un gamin dans ses bras vigoureux. Il m'a jeté tout vivant dans le vieux puits. Il n'a pas hésité, je te prie de le croire !

— Mais c'est abominable ! Cet homme est un assassin !

— En tout cas, il a voulu ma mort... Il a tout fait pour que je me tue en tombant. Le hasard seul... ou, si tu préfères, la Providence...

— Je préfère la Providence.

— Eh bien ! celle-ci m'a sauvé... Je ne suis pas tombé jusqu'au fond du puits... quelque chose m'a recueilli au passage... Je dois dire qu'à partir de ce moment, tout se brouille dans mes souvenirs. J'ai plutôt reconstitué depuis... par la lecture des journaux...

Un coup discret frappé à la porte interrompit le récit de celui que nous savons, maintenant, être Jean Valmont.

Jean Valmont...

Ainsi, l'inconnu qui s'élançait sur la route, au secours d'Eliane de Surtot, était le neveu de Mme Croixmare, l'autre disparu des Houx-Noirs qu'une chance inespérée avait sauvé lui-même de la mort, quelques semaines auparavant...

Il avait volé au secours d'Eliane, généreusement, par devoir, par grandeur d'âme spontané, parce que sa nature impulsive ne lui eût pas permis de faire autrement... sans calculer qu'en agissant ainsi il travaillait au bonheur de Roger, le parent au cœur sec qui n'avait pas reculé devant un crime pour se débarrasser d'un cousin pouvant trahir son passé...

Valmont avait couru délivrer la jeune fille, guidé seulement par la pensée de l'innocente enfant perdue dans un souterrain et qui devait vivre les affres d'une agonie que lui-même avait connue.

« Tête folle, mais bon cœur », disait de lui sa tante.

La vieille dame aurait pu ajouter, sans altérer la vérité que, malgré tous ses défauts et toutes ses folies de jeunesse, Jean Valmont était vraiment une « riche nature ».

Et c'était peut-être à cause de son magnifique caractère que, malgré son manque de fortune, ce garçon possédait tant d'amis, toujours prêts à lui rendre service...

VI

OÙ BIEN DES CHOSES
SONT EXPLIQUÉES

Le dîner était fini depuis longtemps, mais la vieille Katou, suivant l'usage, apportait un pichet de cidre frais pour la bolée de la veillée.

— Ces messieurs n'ont plus besoin de rien ? demanda-t-elle.

— Non, ma bonne Katou, vous pouvez aller vous reposer, répondit Paul.

— Ben, alors, je vais me coucher et ce s'ra avec ben du contentement... Une journée comme ça compte comme deux...

Discrètement, la vieille se retira, après le rapide « kenavo » des Bretons.

Paul Morec, encore tout remué par le récit de son ami, remplit, en silence, les bols de cidre.

Il prit ensuite une blague à tabac et avant d'en bourrer sa vieille pipe, bien culottée, il la tendit à son compagnon.

— Je n'ai pas de fines cigarettes, dit-il d'un ton d'excuse ; mais c'est du bon tabac et il y en a autant que nous pourrons en fumer.

Déjà, il bourrait sa pipe... L'autre l'arrêta :

— Il vaudrait mieux pas ! fit-il doucement. Il y a une femme ici... et elle tousse !

L'autre acquiesça tout de suite. En remettant dans sa poche son attirail de fumeur, il regardait Jean Valmont et souriait...

« Hein ? pensait-il. Qu'est-ce qui aurait dit que ce joyeux luron de Jean Valmont était capable de pareilles attentions ?... Un vieux papa débonnaire pour sa petite fille, en vérité !... Ce qu'un cotillon à son goût peut faire d'un homme, tout de même ! »

Après avoir ranimé les braises du feu rougeoyant, il observa, revenant au drame que l'autre lui avait conté :

— Une autre chose me frappe dans ton récit : c'est la simplicité avec laquelle tu parles de tout cela... sans passion et presque sans haine... comme s'il ne s'agissait pas de toi ou que tu n'aies pas failli en mourir. C'est très beau, sais-tu, un pareil sang-froid.

— Non, cher vieux, ce n'est pas très beau... Ma colère et ma rancune existent contre Roger... mais je suis désarmé !

Son bras s'allongea dans la direction du lit où reposait Eliane.

— Elle l'aime, comprends-tu !... Elle est innocente, elle ! Et si je touchais à Croixmare, c'est à elle que je ferais du mal.

— Tout de même, tu ne vas pas laisser cette pure jeune fille épouser un monstre comme ton cousin ?

Le Parisien eut un geste d'impuissance navrée :

— Cette brute l'aime et elle l'aime... tout est là !

— Ne crois-tu pas que tu aurais dû aller trouver la tante ou la mère de Mlle de Surtot et leur dire, à elles, toute la vérité ?... Elles auraient arrangé ça.

— J'y ai pensé... la vengeance était belle !

— Qu'est-ce qui t'en a empêché ?

— Ma maladie, d'abord... Des scrupules me sont venus ensuite... Je dois de l'argent à Croixmare et je ne suis pas en mesure de le lui rendre.

— Mais en voulant t'assassiner, il t'a dégagé de toute reconnaissance.

L'autre haussa les épaules.

— C'est facile à dire... Ça concilie trop bien mon désir de vengeance et mon intérêt ! J'aurais peut-être agi dans le sens que tu indiques, si je n'avais pas pu sauver Eliane de Surtot... Vois-tu, depuis hier, je m'aperçois qu'il fallait que je fusse jeté tout vivant au fond du vieux puits pour en découvrir le secret... Sans le geste homicide de Roger, jamais je n'aurais pu aller au secours de cette pauvre enfant... Aussi, j'en arrive à bénir ma souffrance et mes angoisses au fond du souterrain maudit, puisqu'elles m'ont permis de sauver la petite.

Le regard perçant de l'amphitryon s'attarda sur le visage pensif de son hôte.

Morec n'était guère plus âgé que celui-ci. Célibataire comme lui, voilà qu'il percevait en lui-même ce que l'autre ressentait et n'osait peut-être pas s'avouer.

— Je trouve que tu attaches bien de l'importance à cette jeune fille, observa-t-il doucement.

— J'ai pour elle tous les égards qu'un méchant bougre comme moi doit avoir pour l'ange de douceur et de beauté qu'elle est.

— Au point de ne pas désirer la punition d'un misérable ?

— Au point, plutôt, de ne pas vouloir être l'artisan de son châtiment, de crainte qu'une autre en souffre également.

— Mais ne pousse pas cet ostracisme jusqu'à permettre que l'innocence épouse le crime.

— Ah! si j'étais sûr qu'elle ne l'aime pas! murmura pour toute réponse Jean Valmont.

De nouveau, il retombait dans sa mélancolique rêverie.

— Et Lanfred? Comment s'en est-il tiré? questionna Paul, qui voulait arracher le jeune homme à ses lourdes pensées.

Celui-ci eut un geste de pitié.

— Le malheureux!... Il s'est fait sauter la cervelle!

— Ah!

Morec avait sursauté, plein d'horreur.

— Oui, expliqua Jean Valmont. Ayant perdu tout espoir, ne recevant pas de nouvelles de moi qui lui avais donné tant de raisons d'espérer, acculé par l'échéance fatale, il a préféré disparaître... C'est affreux!

— Mais sa femme et ses enfants?

— Le pauvre diable s'est dit que sa mort reculerait automatiquement le terme de sa dette... que j'aurais peut-être alors le temps de trouver l'argent. Il m'a écrit une lettre en ce sens, en me recommandant les trois êtres qu'il aimait... C'est lamentable!... Quand j'ai pu aviser chez lui que j'étais en traitement à l'hôpital, sa femme est venue me trouver tout en larmes! Le plus pénible, c'est que mon malheureux ami se soit tué, doutant de moi, pendant que j'errais, blessé et épuisé, dans le souterrain libérateur... Ah! cette pensée!... Cette impuissance!...

— C'est épouvantable!

— Affreusement! Sa jeune femme est malade de chagrin, les petits sont réduits à la misère... Oh!

pour cette mort, oui, je lui en veux, à cette brute !... De cela, certes, je ne peux parler sans passion !

Il baissa encore la voix pour dire :

— Et quand je pense que cet homme, cet assassin, fourbe, menteur et lâche, va se marier... va épouser Eliane, cette enfant pure et charmante !...

— C'est une terrible chose, murmura Paul. Mais ce mariage n'est pas fait, cette aventure cruelle peut changer les idées de Mlle de Surtot.

Et voulant, une fois encore, ramener son ami à des idées moins sombres, il demanda :

— Mais, enfin, comment t'es-tu tiré du vieux puits ? Ce qui m'intéresse, c'est de savoir de quelle manière tu es sorti de là.

— Par un miracle, mon vieux ! Je ne vois pas d'autre explication : je devais me tuer dix fois dans une telle chute !

— En effet.

— Je suis resté longtemps, jusqu'à ces derniers jours, sans comprendre ce qui m'était arrivé. A la clinique où j'ai été éloigné par notre vieil ami, le docteur Brault, que tu connais bien...

— Ah ! oui, un chic type !

— Et calé, tu sais ! Il m'a bien retapé, car il paraît que j'étais en assez mauvais état... Je te disais qu'à la clinique, pendant mes quinze jours de repos et d'inaction, j'ai essayé de reconstituer l'aventure, de deviner comment j'avais pu échapper à l'écrasement au fond du trou.

— C'est qu'il est profond, le vieux puits, d'après la légende !

— Oui, mais j'avais bien compris que je n'étais pas arrivé jusqu'au fond... Je m'étais parfaitement rendu compte que j'avais été projeté contre une paroi *qui avait cédé...* J'avais conservé l'impression d'avoir *roulé* sur une surface inclinée, lisse et glissante.

— Une dalle basculante, peut-être, que le choc de ton corps avait fait ouvrir.

— Justement... une dalle qui, par son propre poids, s'est refermée derrière moi, tandis que je glissais sur le sol de quelque oubliette...

— Cela a dû être horrible, pauvre vieux, dit Paul affectueusement. Horrible et abominable, cette impression d'être enseveli vivant...

— Ah ! certes !

Il resta pensif un instant et reprit, d'une voix grave :

— Je vivrai cent ans que je ne pourrai oublier l'horreur de ce réveil dans les ténèbres... Avais-je perdu conscience ? Je crois que oui... Mon premier souvenir net est une violente douleur à l'épaule gauche et dans tout le côté. J'ai su depuis, par le diagnostic du docteur Brault, que j'avais des contusions multiples par tout le corps avec une fracture de deux côtes et une luxation de l'épaule ; l'omoplate était brisée... Ça, c'était plus douloureux.

— Mais, alors, tu n'as pas pu bouger dans ton oubliette ?

— Il le fallait, pourtant !... Je pouvais encore moins supporter l'idée que j'étais enterré vivant ! L'instinct de la conservation, hein ?... En rampant sur les genoux et en me servant seulement du bras droit, j'ai exploré mon cachot à tâtons... Dans le noir ! Je n'avais ni lampe, ni bougie. Combien de temps, cela a-t-il duré ? Je ne sais...

— Tu as tout de même du cran, sais-tu !

— Il le fallait, répéta Jean, simplement. A un

216

moment, j'ai senti le vide... une ouverture dans le mur... J'ai avancé... Chaque pas... Je ne peux dire : chaque pas, puisque je me traînais sur les genoux... enfin, chaque progression en avant me causait une souffrance presque intolérable. Et cela a duré des heures ! Cela m'a paru des siècles !... Là, il y a des trous dans ma mémoire... J'ai dû, plusieurs fois, m'évanouir... Enfin, j'ai vu le jour !... Ah ! Paul, tu ne peux pas te faire une idée de ce que j'ai éprouvé !

— Je m'en doute...

— Non, tu ne peux pas ! Il faut avoir vécu cela : la délivrance de la mort ! C'est comme une résurrection ou une naissance dont on serait conscient... Cela fut une joie si forte, si vivifiante, que j'ai retrouvé immédiatement le courage de marcher !... Ah ! revoir le soleil ! respirer l'air libre ! J'ai pu, dans ce renouveau d'énergie, faire les quelques centaines de mètres qui me séparaient d'un chemin... J'étais dans une lande d'ajoncs, absolument sauvage et déserte, et j'ai pu, après bien des efforts, arriver jusqu'à la lisière, au bord d'une route... Je vois toujours la borne près de laquelle je suis tombé, épuisé... à bout de forces !

— Et après ?

— Eh bien, j'ai eu de la chance ! Un peu plus tard, une auto a passé. Son conducteur était un excellent homme ! Il m'a installé le mieux possible dans sa voiture et m'a conduit à Guingamp, où il allait lui-même. Je ne pouvais m'y arrêter... Pas le sou pour payer une maison de santé... et puis, le croirais-tu ? dans l'état de faiblesse où j'étais, Roger me faisait peur !... Il me semblait qu'il allait me découvrir et venir m'achever pour m'empêcher de parler !... La dépression physique, n'est-ce pas ?

Je n'étais plus qu'une loque !... Il me fallait rentrer à Paris, tout de suite.

— A Paris, tu avais Brault...

— Tout juste ! Donc, j'ai voulu partir. Mon « rescapeur » m'a fait bander solidement le bras et les côtes dans une pharmacie et il m'a installé lui-même dans le train... Un brave type, vrai !... Le lendemain, après une atroce nuit de cahots et de fièvre, sans même être passé chez moi, j'étais à la clinique, admirablement soigné par notre ami.

— Et c'est là que tu as eu l'explication de ton invraisemblable salut... ?

— Oui, quinze jours après... en lisant les journaux qui ont relaté le « mystérieux drame des Houx-Noirs ». Tu as vu certainement ce qu'ils ont dit : le fusil du garde qui tombe et reste introuvable... la jeune fille qui disparaît également sans laisser de traces... A force de fouiller mes souvenirs, j'ai pu retrouver l'impression d'un premier choc sur quelque chose de pliant et d'élastique qui m'aurait rejeté vers la paroi d'en face... celle qui a cédé... Je ne vois que des branches d'arbuste qui aient pu produire cet effet.

— C'est possible ! Dans les vieux puits, il y a souvent toute une végétation qui pousse entre les joints... les racines trouvant leur nourriture dans l'argile qui relie les pierres.

— Evidemment, c'est ce qu'il doit y avoir eu dans les deux cas. Des branches nous ont accrochés et, en amortissant notre chute, nous ont sauvé la vie.

— Oui, elles vous ont arrêtés, toi, la jeune fille et le fusil, au même endroit et, vous faisant dévier suivant *la même ligne,* vous ont projetés sur le même point de la paroi opposée.

— Je l'ai supposé. Nous avons dû tous les deux, ainsi que l'arme, toucher l'endroit exact où se déclenchait le ressort faisant basculer la dalle... Je ne vois pas une autre explication...

— Celle-ci est la bonne... C'est géométrique... comme un jeu de billard, conclut Paul. Vous avez fait « bande première », et voilà ! Ce qui m'étonne, c'est que les explorateurs du puits, après l'accident, y compris le détective, n'aient pas eu cette idée-là.

— Tous ces gens ignorent l'existence du souterrain, ou, s'ils s'en doutent, logiquement ils ne peuvent savoir à quelle hauteur il se situe par rapport à la profondeur du puits. Or, cette végétation devait se trouver bien au-dessus du fond et, d'après ce que j'ai lu dans les journaux, c'est ce fond surtout qu'on a exploré avec soin. Les plantes d'en haut n'ont attiré l'attention de personne.

Paul, de nouveau, remplit les bols de cidre et il eut instinctivement un geste pour prendre sa pipe.

Jean sourit :

— Mon pauvre vieux ! Ça te prive de ne pas fumer ?

— Dame ! un peu, tu sais ! C'est une telle habitude ! La soirée sans ma vieille camarade, c'est une chose invraisemblable... Il a fallu tout l'intérêt de ton récit pour que je ne m'en sois pas aperçu plus tôt. Mais il est près de minuit et tu dois être esquinté depuis le temps que tu es debout !... Si tu veux partager ma chambre, il n'y a qu'elle d'habitable au premier étage... Je ne puis te loger dans cette salle où repose la jeune fille que tu as sauvée.

Avant de quitter la pièce, Valmont se retourna vers la grande table ronde, où les restes du repas voisinaient avec les pichets vides et les assiettes sales. Quelque chose le choqua dans ce désordre.

— Dis donc, dit-il à Paul, si ça ne te fait rien, nous allons enlever tout ça. Eliane est habituée à la vie élégante... Il ne faut pas qu'elle s'éveille dans une salle inconnue où une table encore servie a des allures de beuverie...

Morec n'y avait pas pensé, mais il ne demanda pas mieux que d'obtempérer à cette suggestion.

En quelques minutes, les deux hommes ont porté à la cuisine tout ce qui encombrait la table. Maintenant, la salle est en ordre et la lampe est éteinte, les deux amis sont allés se coucher.

Seul, rougeoyant de ses braises écroulées, dans la haute cheminée monumentale, le feu, bon génie du foyer, veille sur le sommeil de la rescapée...

VII

VIVRE, C'EST COMPRENDRE...

Dans le lit aux longs rideaux fleuris, Eliane, depuis longtemps, avait ouvert les yeux.

Elle se sentait à la fois engourdie et légère, avec la tête un peu vide, incapable d'un effort prolongé.

Cependant, à mesure qu'elle reprenait conscience, elle cherchait à deviner où elle se trouvait.

Tout ce qui l'entourait lui était inconnu. La pièce était d'ailleurs plongée dans une demi-obscurité, les volets de bois plein des petites fenêtres étant clos. Mais comme ils étaient très vieux et passablement disjoints, de longs rais de soleil s'infiltraient par les fentes et venaient jouer sur les meubles bien cirés.

Les yeux d'Eliane s'habituant à cette pénombre, elle distinguait maintenant l'alignement des armoires à l'autre bout de la pièce et cette disposition lui semblait loin très loin, tant la salle était vaste.

Ce n'était pas une chambre à la mesure d'une jeune fille moderne.

Le paravent, déjà, avait été replié par une main précautionneuse et matinale. Eliane essaya de se retourner pour écarter un peu le rideau vert ; y ayant réussi, elle aperçut la cheminée monumentale où fumait encore, sous les cendres, la bûche énorme de la veillée.

Et là, juste devant elle, sur la grande table ronde, nettement éclairé par l'un des beaux rayons lumineux, un vase rustique, en terre vernissée, était rempli d'une touffe d'épines noires en fleur... de ces fleurs neigeuses qui apportent toute la poésie du printemps à l'aube frissonnante d'avril.

Qui donc avait disposé ce frais bouquet pour réjouir son premier regard ? Ces fleurs si blanches se nomment « épines noires » parce qu'elles s'épanouissent, sans feuilles, à même un bois sombre et piquant ; la main qui a cueilli cette brassée a dû s'écorcher plus d'une fois...

Cette pensée fit remonter en elle de vagues réminiscences... Une silhouette d'homme penchée sur elle... une voiture qui court inlassablement... Un autre homme... et une vieille Bretonne dont la coiffe palpite à chaque mouvement de la tête.

Les souvenirs d'Eliane se précisent.

La nuit, elle a entendu, lui semble-t-il, toute une conversation.

— A moins que ce ne soit un rêve... un rêve désagréable, alors !

Mais non, elle se rappelle, à présent. Son nom a été prononcé plusieurs fois... et aussi celui de son fiancé !

Son fiancé ?

C'est étrange ! Les voix ont parlé de lui longuement.

— Oh ! comme c'est difficile de se rappeler... difficile et si triste... Elles ont dit des choses si pénibles...

« Vraiment est-ce possible, tout cela ? »

Eliane a fermé les yeux... Tout se brouille à nouveau dans sa tête qui se fatigue vite. Peu à peu, elle va se rendormir.

Mais quelqu'un est entré.

Un petit pas léger, trottinant, vieillot.

— Bonjour, mademoiselle !

C'est la vieille Katou qui a posé quelque chose sur la table.

— Voilà votre déjeuner. Mais c'est qu'on n'y voit goutte ici ; je vais donner de la lumière.

Les volets ont claqué sur le mur extérieur et le soleil entre joyeux par les deux larges baies. Sur la table, le bouquet neigeux prend un air de fête. A côté de lui, le café au lait odorant fume dans un grand bol qu'accompagne, sur le plateau, une pyramide de petites tartines beurrées.

Eliane sourit à Katou et celle-ci, contente, son vieux visage tout plissé d'un bon rire, observe avec son accent pittoresque :

— Pour sûr que vous avez ben reposé : vous êtes toute fraîche et rose, ce matin ! Et vous avez bon appétit, sans doute ?

Eliane secoue la tête doucement.

Elle n'a pas faim... Il y a des pensées qui coupent l'appétit !

— Mais si, mademoiselle, il faut manger. C'est du bon lait de la Bauée, la petite vache blanche et noire... la meilleure laitière du pays... Et du beurre de chez nous, c'est pas du fraudé !

Tout en parlant, la vieille femme arrange les oreillers, puis aide la jeune fille à s'asseoir.

Eliane se laisse faire, les attentions de cette vieille femme lui évoquent celles de sa maman.

— C'est vrai que ce café au lait sent bon ! murmure-t-elle aimablement.

Elle commence à manger un peu et Katou, les mains croisées sur son tablier gris, la regarde avec ravissement.

Cette demoiselle est mignonne, avec ses beaux cheveux blonds et ses yeux si dorés et si doux, des yeux qui cherchent quelque chose.

Voilà qu'ils se sont arrêtés sur la vieille domestique, et la jeune fille parle, enfin :

— Je vous remercie, c'est très bon, mais je voudrais savoir qui vous êtes... et où je suis ?

— Eh ! mademoiselle, c'est point difficile à savoir. Pour moi, c'est Katou qu'on m'appelle, et la maison, c'est Bossulan, le manoir de M. Paul Morec, not' maître.

Qu'est-ce que tout cela ? Eliane ne se retrouve pas.

— Ah ! oui ! dit-elle. Bossulan ?... C'est très loin, ça ?

— Mais non, pas loin ! Concarneau est là-bas.

Un effroi passe dans les grands yeux dorés.

— Concarneau, c'est dans le Finistère... plus loin que... Ah ! les Houx-Noirs !

Un frisson l'a saisie à ce nom évoqué. Et, toute pâlie, elle a fermé les yeux sous une angoisse obscure pendant que la Bretonne, inquiète, lui enlève des mains son bol à demi rempli encore.

— Alors, quoi ? ça ne va pas ?

La jeune fille rouvre sur elle ses prunelles élargies et d'une voix anxieuse dit :

— Si, si ! Je vais mieux !... Mais, dites-moi, il y a combien de temps que je suis ici ?

— Dame ! ça fait depuis hier soir, mademoiselle. A la tombée du jour, vous êtes arrivée avec M. Jean dans l'auto. Mais vous étiez bien fatiguée, quasi dormante, et vous n'en avez point souvenir, sans doute ?

En effet, tout cela est bien vague et n'apprend pas grand-chose à Eliane.

— Et... monsieur... M. Jean... est-il encore ici ?

— Dame ! oui... même qu'il est venu lui-même me demander de vous préparer le café au lait. C'est bien sûr qu'il n'est pas loin, puisque c'est lui qui a cueilli ces fleurs.

— Alors, bonne Katou, voulez-vous le prier de venir me voir ?

— Tout de suite, mademoiselle. J' vais le guérir.

— Merci, Katou ; attendez, s'il vous plaît. Voulez-vous emporter ce plateau... et aussi arranger un peu les couvertures... l'oreiller ? Bien, merci, Katou... Je voudrais aussi... je n'ai pas de glace, vous comprenez ? Je ne suis pas trop décoiffée ?

— Ah ! soupire la vieille Bretonne, mademoiselle est jolie comme la bonne Sainte Vierge ! Avec des cheveux comme ça, tout bouclés, on n'est jamais décoiffée !

Et la petite vieille se retire avec son sourire futé en marmottant tout bas :

— Allons... ça va bien... la demoiselle n'est point trop malade, puisqu'elle s'inquiète de sa coiffure. Ah ! ces jeunesses !

Pendant que la servante s'éloignait, Eliane, pensivement, se demandait ce qu'il fallait dire ou cacher de son aventure... pour connaître la vérité... toute la vérité !... puisqu'elle ne voulait rien ignorer...

Un instant après, la porte de la salle s'ouvrit, livrant passage à Paul, accompagné de son ami Jean Valmont.

— Mademoiselle, murmura ce dernier en appro-

225

chant du lit où reposait la rescapée, j'espère que vous avez bien dormi et que vous avez oublié toute votre fatigue.

La jeune fille était encore très pâle, mais, dans le beau visage apaisé, les yeux avaient repris l'éclat de la jeunesse. Ils se posèrent longuement sur Jean Valmont. Après un silence, elle répondit, semblant chercher ses mots :

— Oh ! oui, j'ai dormi ! Je suis très bien ! Mais vous dites que j'ai oublié ma fatigue... Etais-je donc si fatiguée ?... Que s'est-il passé ? J'ai oublié... tout oublié... je voudrais savoir.

— Ne cherchez pas maintenant, mademoiselle ; il faut encore vous reposer, murmura Jean avec une douce autorité.

— Non, je suis bien. Seulement, je veux savoir. Ecoutez : j'ai l'impression que j'ai couru un très grave danger et que vous m'avez sauvée.

Son regard clair allait de l'un à l'autre des deux amis. Elle sourit faiblement devant leur mutisme et continua :

— Je voudrais aussi remercier mon sauveur... mais... auquel de vous deux dois-je la vie ?

Paul, à qui son camarade avait fait la leçon, se taisait, un peu gêné. Jean eut un geste de la main pour indiquer que le détail qu'elle exigeait n'avait aucune importance.

— Si, si, insista Eliane, je veux savoir... lequel de vous deux est mon sauveur ?

— Ni l'un ni l'autre, répondit enfin Valmont avec un sourire insouciant. Sauveur est un bien grand mot, d'ailleurs... Voici ce qui s'est passé : tout simplement, nous avons eu la chance de vous rencontrer, alors qu'une trop longue promenade vous avait sans doute entraînée loin de chez vous.

Vous paraissiez avoir marché longtemps et être à bout de forces. Il était tout naturel de vous offrir une place dans l'auto et de vous amener vous reposer ici.

— Tout naturel, répéta Eliane, rêveuse. Tout naturel ?... Enfin, messieurs, quoi qu'il en soit... quel que puisse être l'événement qui m'a mise sous votre protection, je tiens à vous redire simplement et bien sincèrement : merci.

Elle tendait aux deux jeunes gens sa main fine. Sur la peau blanche, quelques écorchures rappelaient à Jean les ronces du buisson sous lequel la jeune fille lui était apparue presque évanouie.

Il les regarda pensivement ; puis ses yeux remontèrent vers le visage zébré où les égratignures pâlissaient déjà. Chacune d'elles marquait une souffrance ressentie.

« Pauvre enfant ! pensa l'homme, apitoyé. Et ceci n'est rien à côté des tortures éprouvées dans le souterrain. »

Son cœur était gonflé de pitié et de tendresse grandissante depuis qu'il se sentait uni à elle par la même dramatique infortune, par les mêmes angoisses et les mêmes dangers.

— Pauvre Eliane !

Mais, pâle et grave, il demeurait silencieux auprès du lit, pendant que Paul conversait avec la rescapée.

— Je crois que je vais pouvoir me lever, disait Eliane ; je vous encombrerai ainsi beaucoup moins que dans un lit.

— Je préférerais, cependant, que vous demeuriez encore couchée, intervint Jean. Vous avez pris froid et vous toussiez un peu, hier soir.

— Je ne pense pas que ce soit très grave, fit-elle

en souriant. Pourtant, si cela doit vous rassurer, messieurs, je garderai le lit jusqu'à ce que vous me permettiez d'en sortir. A la condition, ajouta-t-elle un peu coquettement, que vous veniez quelquefois me tenir compagnie dans cette grande salle où je me fais l'effet d'un oisillon tombé du nid.

— Nous nous arrangerons pour que l'un de nous soit toujours auprès de vous, proposa Morec avec toute la bonne grâce d'un maître de maison qui cherche à faire plaisir.

Eliane les remercia. Elle s'adressait aux deux hommes, ne paraissait pas vouloir les séparer dans sa pensée ; cependant, son regard lumineux revenait toujours se poser sur le visage de Jean.

— Je vais vous laisser avec mon camarade, ce matin, reprit l'hôte. J'ai aux champs des travailleurs qui commencent à ensemencer une pièce de terre et je dois aller surveiller ces semailles. Excusez-moi, tous deux. Tantôt, je serai heureux d'être des vôtres. Je passe auprès du bourg, je vous apporterai le journal.

Il s'éloigna.

Restés seuls, les deux jeunes gens s'examinèrent en silence.

Jean, d'abord, hésita à s'asseoir. Cette chaise au pied du lit était bien près... Elle plaçait Eliane sous son regard direct et cet emplacement semblait indiscret... gênant aussi pour la jeune fille. Cet autre siège, près de la table, était bien loin ; en revanche, il les faisait complètement étrangers et comme cérémonieux.

Valmont, cependant, opta pour ce dernier.

Eliane avait saisi son hésitation. Comme, une fois assis, il demeurait silencieux, elle se mit à rire.

— Quelle pénitence je vous impose, monsieur,

de rester enfermé dans cette pièce alors que vous seriez si bien dehors, sous ce beau soleil de printemps !

— Oh ! protesta-t-il d'un élan qui le tourna complètement vers elle. Je suis bien mieux ici, mais je ne voudrais pas vous fatiguer en parlant trop. Vous devez avoir besoin de repos et de silence.

— Ah ! non, fit-elle, pas de silence ! Il y a trop de pénibles souvenirs dans ma pauvre tête endolorie... je voudrais pouvoir m'empêcher de penser.

— Voulez-vous que je vous donne un cachet qui vous ferait dormir et qui permettrait à votre cerveau de se reposer un peu, sans pensée importune et sans cauchemar pénible ?

— Qui vous permettrait, surtout, de rejoindre votre ami Paul, observa-t-elle un peu amèrement.

— Ne croyez pas cela, mademoiselle, protesta-t-il de nouveau avec chaleur, en se penchant vers elle. Je ne désire qu'alléger vos souffrances... J'ai, moi-même, passé par des circonstances un peu cruelles ces dernières semaines, et je sais combien la pensée s'affole et s'énerve dans l'immobilité du lit, quand on ressasse les maux dont on a souffert.

— Oui, fit-elle. La pensée est une torture... surtout après avoir vécu les heures épouvantables que j'ai traversées !

Elle s'animait, ses pommettes rougissaient sous la fièvre intérieure qui la dévorait au rappel des terribles épreuves subies dans le souterrain.

— Vous ne savez pas... vous ne pouvez pas vous douter de ce que c'est épouvantable d'être enterrée vivante... et toute seule... pendant des heures, dans une nuit qu'aucune étoile n'éclaire.

Elle avait caché son visage dans ses mains,

comme pour ne pas voir la redoutable hantise. Et, cependant, elle l'évoquait toujours :

— C'est affreux ! horrible !... Ah ! j'ai souffert ! J'ai pleuré, j'ai crié ! Je me sentais devenir folle... Et rien ! personne ! j'étais seule !

Des larmes coulaient le long de ses joues. Elle hoquetait sous une crise nerveuse.

Elle n'avait certainement pas prémédité ces confidences ; mais les mots jaillissaient spontanément de sa poitrine contractée, comme si elle était soulagée de lui dire ces choses... à lui qui devait la comprendre !

Valmont, bouleversé d'émoi et compatissant, s'était levé et approché du lit. Il sentait bien que les nerfs, en cet instant, avaient raison de la vaillante jeune fille.

Ces larmes, d'ailleurs, étaient la réaction d'une volonté trop longtemps tendue. Elles eussent fait du bien à la victime du vieux puits, si l'état fébrile n'avait compliqué son état de faiblesse.

— Ne pensez plus à tout ça, mon petit. Calmez-vous, je vous en prie... C'est fini.

— J'étais seule ! répétait-elle à travers ses sanglots. C'était horrible.

— Oui, c'était épouvantable ! Mais c'est passé ! Ces heures affreuses ne reviendront plus... Vous n'êtes plus seule, vous voyez. Je suis là !... Je ne vous quitterai pas !... Ma pauvre petite fille, calmez-vous, puisque c'est fini.

Il l'avait attirée contre lui, bien que son épaule blessée fût placée de son côté. Et, malgré la souffrance que la position incommode lui causait, il tenait la jeune fille serrée sur sa poitrine, pendant que, de l'autre main, avec son mouchoir, il lui essuyait les joues ou lissait ses cheveux... douce-

230

ment, dévotement, avec le désir impuissant de ne pouvoir rien faire d'autre que la bercer comme il l'aurait fait avec un petit enfant.

Peu à peu, la malheureuse se calmait ; ses sanglots s'étaient apaisés et ses hoquets nerveux s'étaient espacés.

Elle restait blottie cependant contre l'épaule tutélaire qui semblait la protéger, pendant qu'avec le mouchoir de Valmont elle se séchait elle-même le visage.

— Oui ! j'ai été bien malheureuse ! répétait-elle puérilement. Jamais je ne pourrai oublier.

— Je sais...

— Non ! fit-elle avec une moue enfantine, ce n'est pas pareil. Vous, vous êtes un homme... Un homme, ça réagit mieux qu'une femme !

— En effet, fit-il, convaincu. Il vous a fallu cent fois plus d'énergie qu'à un garçon pour sortir de ce trou infernal.

Les cheveux d'Eliane étaient si près de ses lèvres qu'il oubliait, en cette minute, son propre calvaire quand, sans lumière, blessé et meurtri par tout le corps, il avait dû chercher son salut, à tâtons et sur les genoux, dans les ténèbres inextricables du couloir sans fin.

Quand la jeune fille fut totalement calmée, elle se dégagea d'elle-même de l'étreinte de son compagnon et reposa sa tête languissante sur l'oreiller ; elle laissa néanmoins sa main dans celle de son sauveur, qui avait fini par attirer la chaise du pied du lit, pour la placer à la hauteur de la malade, avant de s'y asseoir.

— Est-ce que vous avez les journaux de ces derniers jours ? demanda-t-elle tout à coup.

— Pour quoi faire ?

— Je voudrais les lire.

— Cela va vous fatiguer.

— Non, ce sera une distraction.

— Je ne crois pas que leur lecture vous soit salutaire. Vous savez bien que vous n'allez y trouver que des rappels douloureux.

— Non, ça m'amusera de voir les déductions des reporters ; je suis sûre qu'ils ont dû dire des bourdes énormes.

— Plutôt.

— Ça ne vous fait pas rire ?

— Ah ! non !

— Moi, j'aurais ri !

— Non. Peut-être si je n'avais pas connu moi-même l'affreux souterrain ; mais, quand je les ai lus, je pensai qu'une jeune victime était en grand péril.

— Ah ! oui ! Il y a longtemps que vous êtes au courant ?

— Quarante-huit heures.

— Avant-hier ?

— Oui... l'après-midi.

— Alors, vous êtes venu tout de suite ?

— Dès que j'ai pu.

— De Paris ?

— Oui, de Paris.

— Ah !... c'est loin !

Ils se turent.

Tous deux réfléchissaient à cette suite d'interrogations et de réponses qui les faisaient communier dans un même secret.

Valmont avait inventé une fable pour expliquer à Eliane comment il l'avait ramenée à Bossulan, et la jeune fille, de son côté, avait affirmé ne garder aucun souvenir de la veille ; pourtant, chacun d'eux

232

savait que *l'autre n'ignorait rien* et, devant une question directe, aucun d'eux n'aurait voulu altérer la vérité.

— C'est hier matin que vous m'avez trouvée ? interrogea à nouveau la jeune fille.

— Oui, hier matin... mais ne parlez plus de tout ça, vous allez vous faire encore du mal.

Mais elle secoua la tête :

— Je pense, et c'est pire !... Ne me laissez pas penser toute seule !

Revenant à ses questions, elle continua :

— De Paris en Bretagne, c'est loin...

— Un peu plus de cinq cents kilomètres, fit-il, en riant de devoir préciser un tel détail.

— Il vous a fallu rouler toute la nuit ?

— Une belle nuit claire ! C'était une vraie promenade !

— Toute la nuit... pour me sauver !

— Pas du tout. Vous vous étiez sauvée vous-même ! Votre magnifique vaillance vous avait fait gagner la sortie du souterrain... Vous étiez à l'air libre, heureusement.

Elle parut réfléchir... chercher dans sa mémoire.

— En plein air, peut-être, dit-elle lentement, mais pas sauvée pour ça ! Sans vous, je serais morte là-bas.

— Qu'est-ce que vous allez imaginer là ?

— La vérité... Je sais bien que je n'avais même plus la force de me dégager du buisson où j'étais tombée... Voyez mes mains.

— De simples égratignures.

— Qui ont leur éloquence... Vous m'avez sauvé la vie... Je ne l'oublierai jamais !

— Je vous en prie, mademoiselle, fit-il embarrassé, ne prononcez pas d'aussi grands mots pour une aussi petite chose. Je ne mérite pas que vous les employiez.

— Si, répéta-t-elle avec exaltation. Je n'oublierai jamais. Ma mère m'a donné le jour... mais c'était ma mère ! Vous, vous m'avez sauvé la vie.. et je ne vous étais rien !... Vous avez droit à toute ma reconnaissance... Quoi que vous désiriez... que vous me demandiez, je vous fais le serment de vous l'accorder, si la chose est en mon pouvoir. Jamais je n'oublierai... Vous entendez, monsieur Jean, tout ce que vous me demanderez !

Dans sa reconnaissance éperdue, elle eut voulu se donner toute. Elle le fixait de ses grands yeux brillants, comme si elle s'attendait à ce qu'il profitât tout de suite de son offre magnanime et énonçât quelque désir qu'elle ne demandait qu'à satisfaire.

Mais le regard masculin qui plongeait dans ses yeux demeurait sombre.

L'homme sentait bien qu'en cette minute éperdue il aurait pu tout exiger de sa compagne, même sa vie !... Mais il ne se souciait pas de s'attacher une âme par la reconnaissance. Ce n'est pas ainsi qu'il eût voulu régner sur le cœur d'Eliane.

— Donnez-moi votre amitié, fit-il enfin avec gravité. Accordez-la-moi... même si l'on vous dit que j'en suis indigne !... Et puis, soyez heureuse... que je vous sache complètement heureuse, vous ! Ce sera ma plus belle récompense, si tant est que j'en mérite une.

Un voile noyait soudain les yeux gris du jeune homme. Il eut conscience de son émotion et détourna la tête avec un mouvement d'orgueil qui veut dominer la situation. Mais Eliane avait surpris la détresse masculine et, petite chose très pure, mais sans expérience, elle demeura silencieuse, se demandant quelles lourdes pensées pouvaient ainsi assombrir un front d'homme et lui faire crier — si passionnément et d'une voix si douce, si lasse — cet émouvant souhait où vibrait une longue plainte :

— Que je vous sache complètement heureuse, vous !

Heureuse ! Elle ?

Pourquoi pas lui aussi ?

Il y avait donc des hommes qui ne croyaient plus au bonheur ? Et celui qui l'avait sauvée était de ceux-là ?

Quelque chose se crispa dans la poitrine d'Eliane... un serrement de cœur devant un malheur qu'on pressent ?... ou le déchirement d'une impuissance en face d'une catastrophe ?

La jeune fille, gravement, longuement, réfléchissait...

VIII

ET VIVRE, C'EST AUSSI AIMER

Une dernière lueur du jour finissant entrait par les petites fenêtres. La forme des meubles s'estompait de plus en plus dans l'ombre. Toute la chaleur et toute la lumière se concentraient maintenant dans le rayonnement du feu, du feu chantant, joyeux et clair !

Les reflets de la flamme jouaient sur les cheveux d'or d'Eliane et sur les plis de son vêtement lilial.

Qu'elle était donc belle ainsi, la petite convalescente !

Comme ce brave Paul avait eu une heureuse idée d'aller chercher dans l'une des antiques armoires ce long châle de cachemire blanc, souvenir d'une aïeule, qui enveloppait de tant de grâce les épaules frêles et le jeune corps souple qu'on venait d'installer dans un fauteuil, sous le manteau de pierre de la vaste cheminée !

Le grand chien roux de la maison était venu se coucher aux pieds de la jeune fille et les deux amis silencieux contemplaient ce tableau admirable et sans âge : cette belle enfant blonde et blanche, rêvant au coin du feu, une bête fauve à ses pieds.

Mais, même en ce coin paisible de Bretagne,

Valmont n'oubliait pas la veuve et les enfants de Lanfred. Et, pour aller leur téléphoner à Paris, il s'arracha à la douce quiétude de la grande salle mi-obscure où régnait Eliane, telle une blonde et jolie châtelaine d'autrefois.

— Je vous quitte, noble demoiselle et gentil seigneur... Puissent les services du téléphone m'être favorables et me permettre de revenir très vite parmi vous !

Sa haute taille se dressa, plus grande encore dans la pénombre.

— A tout à l'heure.

La jeune fille le suivit des yeux pendant qu'il disparaissait.

— Votre ami a l'air d'un homme charmant, dit-elle à Paul d'un ton détaché.

— C'est le meilleur garçon que j'aie jamais rencontré, répondit celui-ci chaleureusement.

— Et vous le connaissez depuis longtemps ?

— Depuis toujours !

— Ah !... C'est un bail !... Mais il est donc originaire de ce pays ?

— Non. Il est né en Normandie... de pure race normande, même ! Mais ma mère et la sienne avaient grandi ensemble, à la même pension. Et, tous les ans, l'une des deux familles allait chez l'autre passer les vacances.

Il fit une pause et simplement ajouta, avec une sorte de gravité :

— Je ne pense pas que deux frères puissent avoir plus de confiance l'un dans l'autre que nous deux, Jean et moi, qui sommes véritablement liés par les liens d'une puissante et sincère amitié.

— A ce point-là, l'amitié est une belle chose ! fit rêveusement Eliane.

Katou apportait la lampe et la jeune fille sourit à la vieille bonne dont le regard maternel s'était tout de suite posé sur elle.

Paul Morec s'était levé et était allé chercher un châssis sur lequel une toile enduite était tendue.

— Je voudrais garder le souvenir de votre passage chez moi, expliqua-t-il. Voulez-vous me permettre de prendre une esquisse de vous, mademoiselle ?... Là... comme vous êtes en ce moment. Je préparerais ma toile tout de suite et, demain, en quelques heures, j'y mettrais des couleurs.

Eliane acquiesça d'un signe de tête.

— Si cela vous fait plaisir...

— Oui, un réel plaisir... Ces heures ont été belles pour moi : vous si délicieuse et mon ami Valmont en même temps sous mon toit. Je n'ai pas un pareil régal tous les jours, dans mon humble demeure.

— Vous vivez seul, ici ?

— Avec ma vieille Katou.

— Et... M. Jean ne vient pas souvent vous voir ?

— Hélas !

— Il habite Paris ?

— Oui.

Tout en parlant, il prenait des mesures, et le fusain courait sous ses doigts agiles.

— Je suis bien ainsi ? questionna Eliane dont la coquetterie s'inquiétait.

— Jolie comme une madone, vous dirait Katou.

— C'est que je tiens à ce que mes traits ne soient immortalisés que sous un jour favorable.

— Il me serait difficile de vous « faire » autrement que jolie.

— Même avec mon visage fatigué de convalescente ?

— Si j'osais, je vous dirais que vous n'en êtes que plus délicieuse ainsi... la langueur ne nuisant pas aux fins visages féminins... Mais je ne continue pas, mon ami Valmont ne me le pardonnerait pas.

Une vague rougeur teinta les joues d'Eliane.

— Est-il donc si pudibond, M. Jean ?

— Lui ? Oh ! non ! C'est, au contraire, un gai et joyeux luron.

— Eh bien, alors ?

— Ah ! voilà... J'ai remarqué qu'avec vous il ne semble se permettre aucune licence.

— C'est vrai, cela ?

— Dame ! s'exclama-t-il en riant.

Et un peu taquin devant sa confusion :

— Vous avez dû remarquer ! Il vous parle avec respect... presque religieusement... c'est ainsi qu'on doit parler aux anges, n'est-ce pas ?

— En effet ! fit Eliane, étonnée. Ce n'est donc pas son habitude avec toutes les femmes ?

— Ah ! fichtre non ! Jean est d'ordinaire un boute-en-train et vous êtes sûrement, mademoiselle Eliane, la première jeune fille qu'il ne bombarde pas de compliments et n'assassine pas de galants propos.

La jeune fille était devenue songeuse.

— Je n'ai pas, cependant, un air rébarbatif, observa-t-elle.

— Je ne crois pas, en effet, que ce soit cela.

— Alors ? pourquoi ?... dites-le-moi.

— Oh ! je ne sais pas, moi !... Vous feriez peut-être bien de le lui demander.

Mais, quittant subitement son air malicieux :

— Il est vrai que le pauvre diable a eu de gros soucis, depuis quelque temps.

— Des soucis matériels ?

— Oui... Il est sans fortune... Ses parents ne lui ont laissé que des affaires très embrouillées... des gens qui entretenaient trois maisons : à la ville, à la campagne et à la mer, sans en avoir les moyens réels... D'un autre côté, il a été élevé à l'ancienne manière... avec l'horreur de certains métiers qui sont interdits aux jeunes gens de bonne famille. Bref, il y a eu, dans sa vie, plus de soucis que de bouteilles de champagne.

— J'ai déjà entendu dire cela de quelqu'un, murmura Eliane qui évoquait Mme Croixmare et ses réflexions au sujet de son neveu.

« Mais, ces temps derniers, il n'a pas eu de motifs d'être plus ennuyé, n'est-il pas vrai ? reprit-elle à voix haute.

— Si... je crois que si ! Des soucis importants, même. Il a perdu sa situation... son patron s'est suicidé !

— Ah ! fit la jeune fille, toute saisie.

Des bribes de phrases lui revenaient :

« Acculé, découragé... une veuve... des enfants ! »

— C'est affreux ! balbutia-t-elle.

Elle passa sa main fiévreuse sur son front, où un point sensible lui faisait soudain du mal.

— Il est sans situation en ce moment ? reprit-elle machinalement.

— Hélas ! Et le souci de l'existence le hante, mais c'est surtout le suicide de son ami qui l'a démoralisé... Il aimait beaucoup son patron et il est malheureux de n'avoir pu le secourir.

— Je comprends à présent pourquoi il est si grave.

— C'est un peu naturel... Il n'a pas de chance,

d'ailleurs : de tous les côtés, l'existence l'accable !
Ainsi il a été blessé... il sort de l'hôpital.

— Blessé ? interrogea Eliane avec surprise.

— Gravement, même ! Vous n'avez pas remarqué : il remue difficilement le bras gauche.

— Il a le bras cassé ?

— Oui... et aussi l'épaule. Il est bandé, mais il est loin d'être guéri ! Il a quitté l'hôpital pour venir en Bretagne.

Eliane ne répondit pas.

Elle réfléchissait que, la matin, Jean avait entouré son buste du bras gauche... Elle avait surpris une grimace lorsqu'elle avait roulé sa tête sur l'épaule du jeune homme... Elle n'avait pas fait attention, ne sachant pas... Maintenant, elle se rappelait... et elle constatait que, malgré la douleur, il n'avait pas retiré son bras tant qu'elle avait pleuré...

Elle eut un gros soupir : sa dose de gratitude s'alourdissait encore pour lui.

Quel singulier garçon que M. Jean, qui avait de pareilles attentions !

— C'est tout cela qui le rend si triste, pensa-t-elle tout haut.

— Il a évidemment, pour le moment, mille raisons de ne pas être gai.

Morec s'arrêta de travailler.

Tenant la toile à bout de bras, la tête penchée alternativement à droite, puis à gauche, il comparait son ouvrage au modèle.

— Ça vient bien, constata-t-il.

— Oh ! montrez !

De sa place, il tendit délicatement le tableau ébauché.

— C'est loin d'être fini, mais, déjà c'est vous...
La coupe du visage... la bouche, le menton.

— Oui, dit Eliane, mal convaincue devant le
brouillamini de tout ce blanc et noir enchevêtré. Ce
sera moi... quand ce sera fini !

Morec sourit :

— Naturellement ! pour un profane, cette
esquisse n'a rien de merveilleux, mais vous verrez
quand les couleurs auront recouvert tout ça et
donné de la vie à l'image...

— Pourvu que le portrait vous paraisse joli, à
vous, c'est le principal, concéda la jeune fille déçue
et qui ne se trouvait pas belle du tout sur cette
ébauche barbouillée.

— Vous verrez ! vous verrez ! s'écria gaiement le
peintre amateur. Jean Valmont, lui-même, voudra
me la chiper, ma toile ! Mais bernique ! c'est pour
moi que je travaille... Comme c'est peut-être le
seul tableau que j'aurai l'occasion de faire de vous,
je ne m'en séparerai pas pour un empire !

— Et puis, mon image n'intéresse probablement
pas votre ami.

Paul Morec, qui avait repris son crayon et
travaillait, s'arrêta pour regarder Eliane ; mais
celle-ci ne sut pas si c'était ce qu'elle venait de dire
qui avait fait loucher le jeune homme ou si, plus
simplement, il examinait le modèle avant de poursuivre son ouvrage.

Un éclair égayé, cependant, brillait dans l'œil du
maître de maison.

— Valmont, dit-il, amphigourique, est obsédé
par une image de femme... Hormis celle-ci, il ne
regarde peut-être pas les autres.

Eliane avait tressailli.

— Une femme ? questionna-t-elle, intéressée.

— Oui...

Il hésita, puis, se penchant en avant, il lui expliqua confidentiellement :

— C'est ça qui le rend si triste, par moments. Il a du chagrin...

— Ah !

— Oui... un amour malheureux... Ne lui dites pas que je vous en ai parlé.

— Oh ! non ! Je n'oserais pas !... Mais vous dites qu'il aime, sans espoir...

— Une jeune fille... Elle est trop riche pour lui.

— Il est assez joli garçon pour être aimé pour lui-même, observa Eliane d'une voix neutre.

— Peut-être... mais il ne lui en a jamais parlé.

— Pourquoi ?

L'autre haussa les épaules :

— Des scrupules !... Jean est farci d'un tas de scrupules ! Et puis, maintenant, il est trop tard ! Elle va épouser un de ses parents... un homme riche, très riche... un cousin qui ne vaut pas grand-chose... Ah ! certes ! ce dernier est loin d'avoir le mérite de mon brave camarade... sûrement il ne rendra pas sa femme aussi heureuse que Jean aurait pu le faire... Seulement, voilà... c'est la destinée ! L'autre a tous les bonheurs et mon bon ami n'a que les embêtements... C'est la vie !

En parlant, il évitait de regarder son interlocutrice, mais prenait soin d'entrecouper son récit de petits silences, comme si la confidence lui était arrachée bribes par bribes.

Lorsqu'il eut fini de dire tout ce qu'il voulait qu'elle sût, Morec leva les yeux sur elle. Le prétexte de son travail ne lui permettait-il pas de la dévisager ?

Eliane était demeurée immobile. Les yeux fixés

243

dans le vague, sa pensée semblait soudain partie à des lieues de là. Pourtant, sur le front pur, une ride transversale mettait une note de dureté qui transformait le visage habituellement si doux.

— Je n'aurais peut-être pas dû vous raconter tout ça, balbutia Morec, subitement gêné de ses confidences devant le visage tendu de sa compagne.

— Qu'est-ce que vous voulez que, personnellement, ça me fasse, les amours de M. Jean ?... Mais, si vous regrettez de m'en avoir tant appris sur les secrets de votre ami, rassurez-vous, je ne répète jamais ce qu'on m'a dit !

C'était ferme, net, un peu tranchant peut-être...

Morec eut l'impression d'une hostilité qu'elle ne cherchait même pas à cacher. Il en fut affecté et laissa tomber la conversation.

Un silence s'établit, puis le peintre rangea ses fusains. Katou rentrait mettre la table pour le dîner du soir et Valmont venait d'arriver.

— Il fait bon, ici, après le vent un peu froid du dehors. On sent déjà le printemps, quand le soleil donne ; mais, à cette heure nocturne, on a l'impression que l'hiver a du mal à relâcher ses pinces.

Le jeune homme s'arrêta devant le petit visage tendu qui évitait de le regarder et ne semblait pas l'entendre.

Morec, pour couper le silence, lui montrait l'esquisse d'Eliane.

— Les contours sont bons, fit Jean après l'avoir examinée. Mais il faudra mettre du rêve dans les grands yeux dorés... idéaliser l'expression... Tiens... ici... regarde.

Son bras tendu désignait Eliane. Il allait préciser son observation, mais la petite tête se redressait si orgueilleusement sous la masse des cheveux flous, la lèvre marquait un si énergique dédain, que Valmont y cherchait en vain le rêve et l'idéal qu'il voulait y mettre.

« Cause, mon bonhomme ! pensait en effet avec malveillance Eliane en cette minute. Tu peux prendre tes grands airs et ta voix la plus émouvante, tu ne me trompes pas. Tu n'es qu'un vulgaire coureur de cotillons qui use des grands moyens pour séduire une fille riche sans défense. Quant à ton ami, bien stylé, bien dressé, il a parfaitement récité sa leçon !... trop bien même, car il a dépassé le but à atteindre !... Vous pouvez vous entendre comme larrons en foire, vous ne me prendrez pas à vos rets, messieurs... Tout est truqué chez vous... même l'histoire de cette nuit si merveilleusement surprise... Et moi, bonne bête, qui ai failli m'y laisser prendre ! »

Ah ! c'est qu'elle n'y allait pas de mainmorte, la vaillante Eliane, quand il s'agissait de démasquer des hypocrites !

Mais, comme tout de même l'un était son hôte et que l'autre lui avait rendu un réel service, elle déroba ses sentiments et demeura correcte.

On devine que le repas, avec une invitée devenue aussi réservée, fut plutôt silencieux.

A un moment, Morec demanda à son ami s'il avait pu atteindre la veuve de son ami.

— Oui, c'est elle-même qui est venue à l'appareil... il n'y a plus de bonne, naturellement, dans la maison... Mᵐᵉ Lanfred est toujours aussi lamentable, elle me supplie d'arranger ses affaires... Elle dit m'avoir écrit. Sa lettre m'arrivera demain et me donnera certainement des détails qu'elle a dû passer sous silence au téléphone. Selon ce qu'elle m'apprendra, je repartirai demain soir ou vendredi matin.

Eliane avait écouté en silence.

Son sauveur avait parlé avec une telle force et il paraissait si grave, si affecté, qu'elle n'était pas loin de croire qu'il disait la vérité.

Cependant, Morec, en lui parlant de l'amour caché et malheureux de son camarade, avait éveillé sa méfiance. Quelques paroles dites, sans doute intentionnellement, ne suffisaient pas à lui rendre sa quiétude et sa belle insouciance.

Le repas lui parut interminable. Elle avait hâte d'être couchée et de pouvoir réfléchir tranquillement.

Les yeux clos, dans le silence nocturne, n'allait-elle pas faire de nouvelles observations ? Elle avait été si naïvement confiante depuis vingt-quatre heures ! Il convenait d'être plus pondérée et de ne pas accorder trop vivement sa sympathie à quelqu'un qui, peut-être, ne la méritait pas.

Malgré tout, ce doute lui était désagréable : c'était tellement plus doux de prêter à son sauveur toutes les qualités !

Un peu triste, elle s'excusa d'être fatiguée et de ne pouvoir rester plus longtemps avec ses deux nouveaux compagnons.

Ils parurent admettre ses raisons et la laissèrent se retirer sans protester. Eux-mêmes quittèrent la salle presque aussitôt, avec l'obscure prescience d'un malentendu inexplicable.

IX

DES EXPLICATIONS QUI FINISSENT BEAUCOUP MIEUX QU'ON N'AURAIT PU L'ESPÉRER

Malgré le soleil qui rayonnait sur tous les meubles de la grande salle, malgré les épines noires pomponnées de bouquets blancs que Jean renouvelait chaque matin, une même atmosphère de réserve régnait sur le petit groupe assemblé au coin du feu pour permettre à Eliane de garder la pose pendant que Morec étalait ses couleurs sur la toile.

La jeune fille, déjà, était l'âme de leur réunion, son sourire était leur soleil et, parce que, aujourd'hui, il ne s'épanouissait pas comme d'habitude sur ses lèvres, les deux jeunes gens demeuraient silencieux.

Tout à coup, la grosse voix du facteur résonna derrière les murs :

— Les journaux habituels et une lettre pour monsieur... M. Jean Valmont ! C'est bien ici !

— Voilà !

Déjà Jean revenait, une enveloppe à en-tête commercial à la main.

— C'est de Mme Lanfred. Je vais voir s'il me faut partir ce soir même... ou si je puis remettre mon retour à demain matin.

— J'aimerais mieux que tu ne me quittes que

demain. Je ne te vois pas recommençant à voyager pendant la nuit. Tout le monde compte sur toi et abuse de ta complaisance ! Tu n'es pas un terre-neuve, mon vieux !...

Valmont, étonné d'une telle réflexion faite en présence de la convalescente, leva les yeux sur son ami et l'examina d'un œil réprobateur.

Le brave Paul ne sourcilla pas. Jamais il n'avait eu un air aussi naturel !

C'est qu'il en voulait un peu à sa petite hôtesse de son mutisme. La protestation qu'il exprimait si nettement cachait un blâme à son endroit.

Il se doutait bien que ses confidences n'avaient pas atteint le but qu'il avait espéré. Son interlocutrice avait cherché dans ses paroles autre chose que ce qu'il avait voulu dire.

Une jeune fille ordinaire n'aurait jamais eu de pareilles pensées ; mais voilà, celle-ci était riche et, tout de suite, elle avait vu du calcul dans sa franchise.

Et Paul, qui avait parlé spontanément, avec l'espoir de rendre service à son camarade, ne se pardonnait pas d'avoir obtenu un résultat si différent de celui escompté.

Sa mauvaise humeur s'épanouissait donc de lui-même à celle qui l'avait déçu, et avec sa brusquerie bretonne qu'il avait du mal à dissimuler.

Valmont, après l'avoir examiné en silence, se mit à l'écart pour lire sa lettre.

— C'est bien ce que je soupçonnais, expliqua-t-il ensuite. Mme Lanfred perd complètement la tête ; mais il me semble qu'il n'y a que son affolement qui soit à craindre ; le reste ne presse pas. Je vais lui envoyer une dépêche annonçant mon arrivée pour demain soir et je ne partirai pas aujourd'hui.

Il allait, négligemment, fourrer la lettre dans sa poche, quand Eliane se dressa, une flamme aux joues.

— Montrez-moi cette lettre, dit-elle d'une voix âpre et autoritaire qui ne lui était pas habituelle. Je veux savoir.

C'était si inattendu que Jean pirouetta sur ses talons pour se trouver en face d'elle.

Il la regardait, tellement surpris de cette demande si en dehors des choses permises, qu'il croyait avoir mal entendu.

D'elle à lui qui se connaissaient à peine, était-il possible qu'elle commît une indiscrétion aussi marquée ?

Il la regardait.

Que vit-il dans ce regard qui bravait le sien ? Quelle supposition extraordinaire, quelle supposition imprévue et malveillante dressait subitement Eliane contre lui ?

Il était demeuré cloué sur place, la lettre à la main ; non pas qu'il hésitât à montrer celle-ci, mais parce qu'il avait du mal à assimiler l'invraisemblable demande.

Depuis la veille, d'ailleurs, il n'arrivait pas davantage à expliquer le mutisme de la convalescente. Que pouvait-elle bien avoir contre lui ?

Quand il fut revenu de son étonnement, il tendit en silence l'enveloppe à la jeune fille.

Eliane n'eut pas une hésitation : elle s'en saisit, pendant que son œil un peu dur paraissait braver celui du garçon. Elle prit connaissance de la lettre, la lisant attentivement, jusqu'au bout, sans aucune discrétion.

Ce regard qui avait bravé le sien semblait avoir rassuré Valmont. Un vague sourire se jouait sur ses lèvres. Comme la jeune fille achevait sa lecture, il observa, très doucement railleur :

— Rien ne vous concerne là-dedans, mademoiselle... Et je ne pense pas que quelque chose ait pu vous paraître intéressant dans cette lettre ?

Eliane leva son petit nez vers lui.

— Quelle est cette femme qui vous a écrit ? demanda-t-elle, soupçonneuse, pour toute réponse.

— La veuve de mon ami.

— Jeune ?

— Oui, mais elle a deux délicieux bébés.

— Et il y a longtemps que son mari est mort ?

— Seize jours aujourd'hui.

— Ah !

— Il s'est suicidé... mauvaises affaires dans son industrie.

— Suicidé ?

— Oui. Les journaux en ont parlé... Si vous voulez voir, j'ai la coupure dans ma poche !

Sans se départir de sa curiosité, la jeune rescapée tendit la main.

Valmont continuait de sourire. On aurait dit que cette inquisition, dans des questions qui ne regardaient que lui, le ravissait.

Il atteignit son portefeuille et y chercha le bout de papier annoncé.

— Voilà ! fit-il tranquillement.

Ses yeux amusés ne quittaient pas l'indiscrète, mais, pendant qu'elle lisait l'entrefilet de journal, ses dents mordillaient ses lèvres... peut-être pour retenir quelque familière et railleuse réflexion !...

ou peut-être pour dominer une joie intime...
inexplicable.

A quelques pas d'eux, Morec, inattentif à son
travail, avait écouté le singulier interrogatoire. La
nervosité de son hôtesse ne lui échappait pas.
N'allait-elle pas faire une observation inattendue et
regrettable ?

Regrettable... pour lui et pour eux !... une
observation qui le mettrait en mauvaise posture
devant Valmont à qui il n'avait pas parlé de sa
maladroite intervention.

C'est que la jeune fille avait l'air assez singulier !
Elle devait, spontanément, obéir à l'instinct du
moment !

Jean aussi, d'ordinaire, était vif ; mais, aujour-
d'hui, il gardait tout son calme courtois d'homme
bien élevé qui se complaît à satisfaire aux caprices
d'une enfant gâtée... trop aimée, hélas !

Paul eut l'impression que, des deux, c'était son
ami qui dominait. Eliane n'avait que des griefs
imaginaires à opposer, alors que Jean était sans
reproche vis-à-vis d'elle.

Quand elle eut pris connaissance du petit feuil-
let, la jeune fille parut tout décontenancée. Ainsi
toute l'histoire de la veuve, du suicide, du besoin
d'argent, était vraie ?... Peut-être que le reste aussi
était réel ? Lasse, elle se laissa retomber dans son
fauteuil.

La tête lui tournait, elle était toute désorientée !

Après avoir suspecté pendant vingt-quatre heures les deux jeunes gens de tant de noirceurs, voici
qu'ils lui apparaissaient lavés de tout soupçon ;
tandis qu'elle, manifestement, venait d'être dis-
courtoise avec celui qui lui avait rendu service...
qui lui avait sauvé la vie !

Elle était désolée et en même temps ravie qu'il en fût ainsi.

Mettant ses coudes aux genoux, elle cacha son visage tourmenté entre ses mains.

Un long silence d'émoi palpita dans la grande pièce.

Ce fut Valmont qui coupa avec autorité :

— Je te prie de m'excuser d'interrompre ton travail, cher vieux ! Voici une enfant qui a besoin de sortir un peu... Depuis plusieurs jours, mademoiselle est enfermée... elle en est tout affaiblie... un peu de soleil et de grand air lui sont nécessaires... Je te l'enlève !

A côté des deux autres assez émus et troublés, lui seul paraissait avoir gardé tout son sang-froid.

Elle était si jeunette et si faible encore, la petite Eliane, qui, depuis deux ans qu'il l'avait rencontrée à Ostende, hantait obscurément ses pensées de célibataire...

Une bouffée de tendresse gonflait le cœur de l'homme qui la tenait enfin là, tout près de lui.

Sa haute taille se baissa miséricordieuse vers la blonde tête inclinée, et Jean aida la jeune fille à se mettre debout. Il prit d'autorité sa main, qu'il passa sous son bras valide.

— Venez faire un tour de jardin avec moi, mademoiselle. Il n'y a pas encore de fruits aux arbres ; mais le verger de mon ami est ravissant sous les fleurs roses ou blanches.

Sa voix demeurait grave, mais reposante. On eût dit que les questions un peu hardies de la petite curieuse lui avaient donné sur elle des droits insoupçonnés jusqu'ici.

Peut-être un fluide obscur, émanant d'elle, était-il venu faire frissonner Valmont sous un émoi parallèle au sien...

Une chose est sûre, c'est que le jeune homme emportait Eliane vers le plein air comme une proie bien à lui.

Ils avancèrent, lentement, en silence, dans le chemin herbeux que quelques pâquerettes émaillaient de blanc.

Tout le charme d'avril, toute la grâce du printemps étaient enclos dans le verger rustique de Paul Morec.

De l'herbe fraîche d'un vert vif, aux cerisiers neigeux, aux pommiers roses, tout éclatait de sève, de force et de jeune vie !

Dans ce cadre enchanteur, encore un peu pâle sous son long châle blanc Eliane fit ses premiers pas au bras de son sauveur.

Ce ne fut qu'au bout d'un moment qu'ils s'arrêtèrent.

Alors, Valmont attira la jeune fille devant lui et, la tenant aux épaules, plongeant son regard dans sas grands yeux dorés, prêts encore à s'embuer d'humidité, il demanda avec fermeté :

— Vous allez me dire, mademoiselle Eliane, ce que vous avez cherché, tout à l'heure ? Qu'est-ce que vous vous attendiez à trouver dans cette lettre ? De quoi ou de qui avez-vous douté ?

Mais Eliane détourna la tête pour lui dérober ses yeux où il pouvait lire trop de choses.

— Vous ne voulez pas répondre ? questionna-t-il plus doucement, après avoir attendu vainement qu'elle parlât.

— Non.

Ce n'était qu'un souffle que l'homme eût voulu cueillir de plus près.

Il se contenta de serrer farouchement le corps fragile contre lui.

— Méchante !

Mot magique !

Extraordinaire signification de ces trois syllabes sur des lèvres amoureuses ! C'est le seul reproche qu'un cœur épris ose adresser à l'autre... Et ce petit mot est presque aussi doux qu'un baiser.

— Méchante !

C'est comme si Valmont avait voulu dire à Eliane :

— Je vous adore !

Ah ! dans ce jardin clos de murs, sous le dôme enchanteur des arbres en fleurs, si loin du monde civilisé, comme il aurait voulu qu'elle fût sienne, la blonde fillette qu'il avait sauvée !

Pourquoi fallut-il qu'en cet instant la pensée brutale d'un autre homme vînt arrêter son élan et briser son rêve ?

Roger Croixmare, le fiancé heureux, même lointain, les séparait autant que s'il avait été présent.

Valmont desserra son étreinte.

Son visage, un moment transfiguré d'amour, était redevenu sombre.

Celui d'Eliane, au contraire, s'était illuminé.

Timidement, elle avait levé la main jusqu'à l'épaule de l'homme... celle qu'elle soupçonnait blessée. A travers l'épaisseur du veston, elle sentit les bandes du pansement bien tendues.

— Vous êtes blessé ? Pourquoi ne m'avez-vous pas dit que vous aviez eu l'épaule cassée ?... Pourquoi me cachez-vous quelque chose ?

— Parce que c'était insignifiant, surtout maintenant que je suis en bonne voie de guérison.

— C'est un coup de revolver ?

— Ah ! non ! merci bien ! Une simple fracture, c'est assez.

— Comment est-ce arrivé ?

— Je suis tombé.

— De très haut ?

— Oui... assez !

— Il y a longtemps ?

— Trois semaines...

— Ah !... trois semaines...

Tout à coup, elle comprenait et son sourire s'éteignit.

Elle essayait d'imaginer la scène.

— Vous ne vous en êtes pas tiré avec une simple fracture, comme vous dites ?

— Non. Il y en a eu quelques autres : l'épaule, le bras, plusieurs côtes, des luxations par tout le corps... un gentil bouquet, vous voyez ! C'était assez de choses à guérir sans y ajouter une balle à extraire... ou alors, je crois que j'y serais resté !

— C'est horrible ! frissonna-t-elle. Et moi qui m'appuyais, l'autre jour, si insoucieusement sur votre blessure ! Pourquoi ne m'avez-vous pas dit que je vous faisais du mal ?

— La joie de votre résurrection me faisait oublier le reste.

— Quand je pense que, pour venir de Paris en Bretagne, vous avez dû piloter votre auto d'une seule main !

Il le fallait bien, mais ce n'est pas tellement difficile.

— Pour les changements de vitesse, cependant ?

— Oh ! la nuit ! il n'y en a guère... Et puis, on se débrouille.

— Mais, pour me porter dans vos bras, comment avez-vous fait ?

— Voulez-vous que je recommence pour vous montrer comment je m'y suis pris ? proposa-t-il en riant.

— Oh ! non, fit-elle en reculant instinctivement et devenue très rouge. Je suis solide et puis marcher seule à présent.

— Heureusement ! N'oubliez pas qu'un homme arrive toujours à soulever d'un seul bras la femme qu'il a besoin de transporter.

— Oui, peut-être... pour une femme...

Elle allait ajouter : « que l'on tient à sauver », mais elle garda pour elle ce complément.

Ils étaient arrivés au bout de l'allée d'herbe, sous les arcades des cerisiers tardifs encore en fleur.

Un banc rustique invitait au repos. Les deux jeunes gens s'y assirent. Entre les branches, le soleil versait ses rayons d'or sur leurs têtes assez rapprochées.

— Vous allez me donner à lire, monsieur Jean, tous les journaux qui parlent de l'affaire, demanda Eliane. Je veux que vous ne me laissiez rien ignorer.

— J'ai dans ma valise les articles que j'avais découpés à Paris, acquiesça-t-il simplement. Nous trouverons ici, je pense, ceux qui ont paru depuis.

— Il faut aussi que j'écrive à ma mère. Elle doit être affolée. Je ne veux pas qu'elle ait du chagrin plus longtemps.

— J'ai avisé votre mère, répondit-il tranquillement.

— Comment ? Ma mère est prévenue ?... Par vos soins ?

Elle était vraiment surprise par cette dernière prévenance de l'homme qu'elle avait soupçonné.

— Ma pauvre maman ! Comme vous avez bien fait !

— Je n'aurais pas voulu la laisser sans nouvelles de vous, quand je vous savais en bonne santé, expliqua-t-il.

— Oh ! fit-elle, tout heureuse. C'est gentil, ça ! Elle le regardait avec une reconnaissance émue.

— Quand lui avez-vous écrit ?

— Le soir même de votre arrivée ici.

— Et que lui avez-vous dit ?

— Cela est une autre affaire, fit-il, un peu gêné ; j'ai dû cacher le lieu de votre retraite. Je ne voulais pas que notre hôte pût être livré aux commentaires des journalistes. Il nous a accueillis spontanément et sans réserve... Il m'a paru que, comme moi, vous ne voudriez pas qu'il en recueillît des désagréments ou qu'on vînt troubler sa retraite.

— Vous avez bien fait. Mais, alors, comment avez-vous pu ?...

— J'ai expliqué tout cela à votre maman... Je lui ai dit aussi que l'automobiliste qui vous avait recueillie sur la route était un jeune homme, qu'il vous avait conduite chez un autre célibataire où vous étiez soignée... et que le souci de votre réputation... la crainte de voir tous nos noms livrés à la presse... Bref, j'ai expliqué pourquoi je la rassurais sans pouvoir lui donner de plus explicites détails. J'ai terminé en disant que vous lui écririez aussitôt que le repos vous aurait redonné le calme et les forces neuves que les terribles émotions des deniers jours vous avaient fait perdre.

— C'est très bien ; mais si vous avez mis cette

257

lettre à la poste d'ici, vous allez voir ma mère arriver par le prochain train.

— J'ai pensé, en effet, que le cachet de la poste pourrait nous trahir.

— Et alors ?

— J'ai adressé ma lettre au docteur Brault, en lui demandant de la faire parvenir immédiatement à votre mère... avec prière, si besoin était, de confirmer de son autorité morale tous les détails que je donnais.

— Et vous pensez que le docteur Brault gardera le silence sur ce qui vous concerne en acceptant de garantir le reste ?

— Oh ! J'en suis sûr ! C'est un ami de longue date. Il me connaît et sait que je ne puis lui damander d'appuyer un mensonge.

Sans s'en rendre compte, Valmont venait de faire de lui le plus bel éloge qu'on puisse dire d'un homme :

« Il me connaît et sait que je puis lui demander d'appuyer un mensonge... »

Eliane se répéta lentement cette phrase claironnant de loyauté. Elle songeait qu'elle n'aurait pas osé la dire en parlant de Roger Croixmare.

— Vous comptez toujours partir demain matin ? s'informa-t-elle au bout d'un moment.

— Il le faut.

— Pour aller au secours de cette femme ?

— Pour arranger ses affaires, oui !

— C'est très utile, ce départ ?

— Autant que peut l'être un impérieux devoir.

Une amertume involontaire noya le sourire d'Eliane.

Cette jeune femme que Valmont allait rejoindre avait peut-être des droits à son dévouement. Elle

258

évoquait aussi les lettres d'amour trouvées dans le portefeuille aux initiales d'argent.

— Elle vous tient bien au cœur, hein !... monsieur Jean, cette jeune femme ?

Il répondit très simplement :

— J'ai beaucoup d'amitié et beaucoup de pitié pour elle. Elle se trouve dans une situation pécuniaire épouvantable et dans une position morale plus pénible encore. Son mari était mon meilleur ami et elle a un changrin affreux de l'avoir perdu si tragiquement. Toutes ces raisons ne sont-elles pas suffisantes pour justifier mon départ ?

— Oui, dit enfin Eliane, adoucie, presque honteuse de son réflexe trop jalousement féminin de l'instant d'avant. Je comprends... Vous devez partir, en effet ! Et c'est vraiment pour demain matin ?

— Oui, il le faut.

— Oh ! je ne proteste plus, dit la jeune fille, très décidée ; je pars avec vous.

— Mais c'est impossible... Votre santé...

— Ma santé ne m'inquiète pas du tout, elle va très bien, je vous assure... Et j'ai besoin, moi aussi, pour des questions sérieuses, de rentrer à Paris.

Jean hocha la tête.

— J'aurais préféré que vous vous reposiez encore ici au lieu de risquer si tôt cette longue fatigue.

— Eh bien ! nous ferons la route en deux étapes. Ce sera délicieux. Nous passerons une nuit à l'hôtel... au Mans, par exemple.

Valmont demeura silencieux.

L'offre d'Eliane le tentait. Voyager avec elle, l'enlever dans sa voiture, c'était retarder le moment de la séparation, c'était l'avoir encore un peu à lui, puisqu'il ne savait plus quand il la reverrait à présent... si, même, il la reverrait jamais !

Mais, d'autre part, il devait calculer si ses finances lui permettaient d'assumer les frais de ce double retour... cette nuit, pour deux, à l'hôtel ?

C'est qu'il n'aurait pas voulu, après tout ce que Paul Morec avait fait pour eux, ces jours-ci, emprunter au trop complaisant ami l'argent du retour.

Valmont n'avait à envisager, somme toute, que les frais du voyage.

A Paris, il se débrouillerait ! Le « solitaire » qu'il portait au petit doigt avait déjà connu bien des vacances au mont-de-piété ; il irait y faire une nouvelle saison, voilà tout !

Rassuré par ce calcul mental, le jeune homme ne songea plus qu'à se réjouir de la présence d'Eliane.

— C'est entendu !... s'écria-t-il. Je vous enlève encore une fois.

Et cette perspective était douce, puisque, inconsciemment, il étreignait, à nouveau, Eliane contre lui.

X

A TRAVERS LA PRESSE...
DÉCHAÎNÉE !

Tant qu'il avait fait jour, Eliane avait parcouru les journaux qui, maintenant, jonchaient la petite table.

Elle avait voulu les voir tous, aussi bien les vieux que Jean avait apportés de la capitale ou ceux qu'on avait retrouvés dans la maison, que les dernières feuilles de Paris ou de la région que Valmont était allé chercher au pays.

Eliane, amusée, avait lu :

« Le mystère des Houx-Noirs reste impénétrable. »

Et ailleurs :

« Le puits tragique n'a pas rendu sa proie. La plus grande effervescence règne dans tous les esprits, à vingt lieues à la ronde. Tous les paysans des environs sont fermement convaincus qu'il s'agit d'un *mauvais sort.* Le diable semble être le principal acteur de l'événement et la police, aidée des détectives, aura bien du mal à débrouiller ce tissu fantastique d'interprétations miraculeuses. »

D'autres articles racontaient par le menu les diverses recherches, l'épreuve du fusil et celle du sac « du poids d'une femme », tout était indiqué, jusqu'au nettoyage de toute végétation que l'on avait fait subir aux parois du puits.

Enfin une feuille, la plus nouvelle, annonçait la *dernière heure :*

« Tout espoir n'est pas perdu... On pense pouvoir retrouver la jeune fiancée. »

L'article s'intitulait en grosse lettres : « Est-ce une fugue ? » et développait les dernières suppositions, mais sans préciser aucun nom, que le célèbre détective, Louis Manzin, s'était laissé... complaisamment, *arracher* par les reporters.

De toutes ces lectures, Eliane gardait un peu de fièvre dans son corps et, dans son esprit, quelque chose de composite où se mêlaient la pudeur froissée de voir son nom, celui des siens, ses sentiments vrais ou supposés, étalés en public, et aussi un gamin et sincère amusement de constater tout ce bruit autour de la plus fantastique erreur !

Mais une erreur si vraisemblable que la jeune fille se demandait, riant en elle-même :

— Est-ce que, *moi aussi,* je vais chercher la solution du mystère !

Le mystère, pour elle, il était ailleurs. Il l'environnait encore ici ; entre elle et ce Jean impénétrable qui s'était lancé sur la route pour lui porter secours.

Tous ces journaux, cependant, lui avaient apporté une nouvelle preuve que le jeune homme avait bien connu, lui aussi, le vieux puits et son mystérieux souterrain.

D'ailleurs, elle ne doutait plus de son sauveur, à présent. Le seul fait qu'il eût écrit à sa mère lui prouvait combien, en cette affaire, il s'était efforcé d'être correct, en même temps que bon et pitoyable jusqu'au bout.

Tout à coup, quelques lignes qui lui avaient échappé au cours d'un article la firent sursauter :

— Oh ! dit-elle. C'est abominable !... Ces journalistes inventent des choses...

— Qu'est-ce qu'il y a ? questionna Paul Morec.

— Figurez-vous qu'un reporter est allé chercher qu'aux Houx-Noirs un parent de Mme Croixmare a déjà disparu d'une manière inexplicable, il y a trois semaines.

— Et alors ? fit Jean, soudain intéressé.

— Il en tire des déductions très offensantes pour moi.

— Comment cela ?

Valmont avait saisi le journal pour lire l'article incriminé :

— Là... voyez ! lui désigna Eliane du doigt.

Et pendant qu'il lisait, elle expliqua au peintre, qui mettait les dernières touches à son portrait :

— On parle de fugue... d'amour caché... Tout espoir de me retrouver ne serait pas perdu... Je serais allée rejoindre un M. Valmont et, si l'on pouvait découvrir la retraite de ce dernier, il est probable qu'on me trouverait avec lui.

— C'est très curieux ! fit Jean qui, sur le moment, ne voyait que la singulière coïncidence.

Mais Eliane ajouta, toujours de son même air scandalisé :

— Ils sont très malveillants, ces journalistes ! Ils supposent des choses... C'est abominable !

— C'est abominable ! convint Jean tranquillement.

— Car, enfin, je ne le connais pas, moi, ce neveu de Mme Croixmare... Je ne puis pas être partie le rejoindre... Vous le connaissez, vous autres, ce M. Valmont ?

Paul Morec se tut, assez embarrassé. Il avait plusieurs fois prononcé le nom de Valmont devant la jeune fille et il croyait qu'elle connaissait complètement la personnalité de son sauveur, bien qu'elle le désignât toujours sous le vocable de « M. Jean ».

Mais, du moment que sa jeune hôtesse marquait une si vertueuse indignation, c'est que le vrai nom de leur compagnon lui avait échappé.

Et le brave Paul baissait la tête, un peu gêné devant l'insistance d'Eliane.

Valmont, au contraire, n'avait jamais fait allusion, avec Eliane, aux liens qui l'attachaient aux châtelains des Houx-Noirs. Elle avait bien paru comprendre comment il était tombé dans le vieux puits et pourquoi il avait connu le couloir souterrain, mais elle pouvait ne pas avoir approfondi le mystère. Lui aussi se laissa prendre aux protestations scandalisées de la jeune fille.

— Il est, en effet, très regrettable que ces journalistes fassent un pareil rapprochement, dit-il avec le plus grand calme. Vous, une personne de bonne famille avec ce garçon léger, volage, et qui a une si vilaine réputation !

— Ah ! mon Dieu ! vous le connaissez ? insista Eliane.

— C'est un individu pas du tout recommandable, précisa Valmont. Un homme sans famille, sans fortune, sans situation, et qui n'est pas du tout reluisant pour des parents riches.

Il fallait toute l'affectueuse amitié de Paul Morec pour sentir l'amertume cachée dans le ton léger de celui qui parlait.

Jean s'était levé et était allé coller son front aux vitres de la fenêtre pour regarder finir le jour dans le jardin solitaire.

— Moi, je trouve que Jean Valmont est un chic type, protesta généreusement Morec. C'est un garçon loyal et généreux que je préfère de beaucoup à son cousin des Houx-Noirs, avec qui il serait injuste de le confondre.

L'autre haussa les épaules :

— Laisse donc ! Est-ce que ça se compare : Valmont est un gueux, tandis que Croixmare est un puissant seigneur. Il est né de parents riches et a hérité je ne sais combien de fois ; il possède château, voitures et nombreux serviteurs ; il peut se payer toutes ses fantaisies et se permettre tous les écarts ; enfin, il peut aussi s'offrir comme épouse la plus délicieuse jeune fille et l'entretenir luxueusement... Croixmare est quelqu'un, mon vieux !

Le rire d'Eliane fusa :

— Oh ! monsieur Jean !... s'écria-t-elle gaiement. Quelle animosité dans tout ce chapelet de qualités que vous attribuez à Roger ! Quel ressentiment nourrissez-vous donc contre mon brillant fiancé ?

— Devant vous, aucun, mademoiselle. Je ne me le permettrais pas, répondit-il, un peu nerveusement. C'est Paul, au contraire, qui dit des choses contre lesquelles je proteste.

— M. Paul est un ami très précieux, qui a le

courage de dire ce qu'il pense, répliqua-t-elle avec vivacité. Moi, j'ai horreur des vilains messieurs trop corrects qui cachent leurs pensées sous une courtoisie impeccable... Vous entendez, monsieur Jean, j'ai horreur de ces messieurs-là !

Le jeune homme se retourna complètement vers elle :

— Vous approuvez donc, mademoiselle, tout ce que Paul dit contre Croixmare ?

— Mais il ne dit rien de mal, M. Paul ! Il a déclaré qu'il préférait un autre à mon fiancé... libre à lui ! C'est son droit ! Ça ne donne ni ne retire rien à Roger... à Roger qui m'aime, qui a du chagrin, qui est presque fou de douleur... Vous n'avez pas lu les journaux, monsieur Jean ?

— En effet ! fit-il, un peu pâle. Je n'ai pas remarqué ce passage. Mais je n'ai jamais douté qu'un homme pût vous aimer profondément, mademoiselle.

Les yeux dorés de la jeune fille se levèrent sur celui qui avait prononcé d'un ton singulièrement grave ces quelques mots, et son regard s'attendrit une seconde sous le poignant frémissement qu'ils avaient fait naître en elle.

Elle poussa un gros soupir.

— Pauvre Roger ! fit-elle légèrement. Il est bien loin !

C'était la première fois, depuis que Jean l'avait sauvée, qu'Eliane évoquait l'absent.

Elle l'avait fait en riant, d'un ton badin, insouciant, sans manifester à son endroit la moindre émotion.

Qu'elle eût seulement parlé de lui pouvait émouvoir Valmont et troubler son bon sens ; mais Morec enregistra l'indifférence marquée de la jeune fille.

— Croixmare est bien loin, en effet, pensa-t-il. Loin des yeux, loin du cœur : l'absence ne vaut rien en amour... Si seulement Jean, au lieu de rester aussi distant, voulait profiter des avantages que la situation lui confère.

Et ce fut au tour de Morec de soupirer profondément.

Mais Eliane continuait de parcourir les journaux, et, tout à coup, elle eut un nouveau cri :

— Ah ! ça, c'est chic !

— Qu'est-ce qu'il y a encore ?

C'était Jean qui venait de poser cette demande d'une voix un peu chargée de rancune. Il aurait bien voulu, depuis quelques minutes, arracher des mains d'Eliane tous ces maudits journaux qui parlaient d'un passé que lui, Jean, aurait bien voulu pouvoir anéantir.

— Figurez-vous, monsieur Jean, que vous voilà presque riche.

— Moi !

— Oui, vous ! mon sauveur ! Vous avez entendu parler de ma tante, Mlle de la Brèche ?

— Ce nom, en effet, ne m'est pas inconnu.

— Eh bien ! cette excellente tante... une très bonne personne, soit dit en passant... cette chère tante, qui aime tant sa nièce, a eu une initiative épatante !... Bref, elle offre une prime de cent mille francs à qui lui ramènera sa petite Eliane.

— Ah ! ça, c'est gentil ! s'exclama Paul. Voici une tante qui ne mésestime pas la valeur de ma charmante hôtesse.

— Oh !... ma tante n'a pas réfléchi que c'était m'évaluer à très bas prix, observa la jeune fille avec un grand sérieux. Je lui ai déjà coûté beaucoup plus cher que ça ! Elle a mal calculé, ce qui ne m'étonne pas du tout de cette chère vieille parente qui a horreur des chiffres. Mais, enfin, ce qui me plaît là-dedans, c'est que voilà M. Jean capable, maintenant, d'aider efficacement la veuve de son ami.

— Comment cela ?... interrogea le jeune homme, dont le front s'assombrissait.

— Dame ! Eliane est sauvée ! Et sauvée par qui ? Par vous, mon beau monsieur ! Les cent mille francs vous appartiennent.

— Ah ! non ! s'écria-t-il spontanément.

— Pourquoi non ?... Et pourquoi cette indignation ? dit-elle en souriant.

— Parce que je n'ai fait que mon devoir et que ce serait dégoûtant de ma part d'accepter d'être payé.

— Vous croyez ?

— Certes !

— Je ne vaux pas une somme pareille, alors ?

— Vous valez mille fois plus, mais là n'est pas la question. Je ne veux rien, rien qui puisse monnayer mes actes... rien qu'une pensée indulgente de votre part, quand vous évoquerez ces heures grises, si toutefois vous ne parvenez pas enfin à les oublier.

— Et Mme Lanfred, alors ? insista tranquillement Eliane, de son petit air pince-sans-rire.

— Qu'est-ce que vient faire, dans un tel débat, le nom de cette pauvre femme ?

— Presque rien ! Mais je trouve que, lorsqu'un ami vous a confié, en mourant, sa femme et ses deux gosses, il est très mal porté de faire de la « chevalerie » à rebours. Ma tante a déposé cette somme à la préfecture de police pour être remise tout entière à mon sauveur. Si vous la dédaignez, cette petite fortune ira à quelque vague détective qui n'aura eu aucun mérite dans cette affaire.

268

Grâce à votre orgueil, cette pauvre Mme Lanfred et ses deux bébés continueront à tirer le diable par la queue, ce qui est une position incommode quand ça dure trop longtemps. Tout cela parce que mon sauveur est un monsieur égoïste, orgueilleux, qui veut m'enchaîner à lui par la reconnaissance, sans rien accepter en retour ! Il n'accepte pas que la dette que j'ai contractée envers lui diminue un peu... Il se refuse à ce que je pense à lui, amicalement... avec tout mon cœur... pour lui seul... sans être écrasée par le lourd fardeau de gratitude dont mon excellente tante, avec son à-propos coutumier, veut me libérer ! Elle, au moins, elle est pratique !

Jean et Paul se mirent à rire.

— Quel réquisitoire !... s'écria le premier, fort amusé.

— Mademoiselle a raison, dit l'autre. Tu es absolument égoïste et exigeant.

— Je commence à croire, en effet, que j'ai énormément de défauts. Notre délicieuse amie ne m'a-t-elle pas déjà fait tout à l'heure tout un cours de morale, à propos d'une question différente ?

— Qui aime bien châtie bien ! dit tranquillement Eliane. Il faut croire que je vous aime bien, monsieur Jean, puisque je cherche à vous corriger.

— Ah ! puissiez-vous dire vrai ! s'exclama le jeune homme. Pour que vous vous occupiez de moi toute la journée, je vais mettre en relief tous les vilains côtés de mon caractère ! Comme vous allez avoir de la besogne ! Ce sera délicieux !

— En attendant que je m'attelle à une tâche aussi ingrate et aussi absorbante, ne faisons pas dévier le débat !... Qu'est-ce que vous décidez pour la prime offerte par ma tante ?

Le visage de Valmont se rembrunit à nouveau.

— Ah! je vous en prie, ne parlons plus de cela!... Laissez-moi jouir en paix de mes dernières heures auprès de vous, sans que j'aie l'impression d'être payé pour chaque attention qu'il m'est agréable d'avoir envers vous. C'est stérilisant, une pensée pareille!... Plus tard, quand vous m'aurez quitté et que je verrai la détresse de Mme Lanfred, peut-être alors aurai-je la volonté d'accepter cet argent. D'ici là, foin de tous ces soucis! J'ai si peu de courage pour reprendre mon collier de misères après la douceur bienfaisante de ces derniers jours!

Une mélancolie noyait, tout à coup, le fier regard de l'homme.

La jeune fille n'insista pas.

Subitement, elle aussi, elle sentait les heures fuir trop vite; ces heures de rêve, suaves au cœur, chaudes à l'âme; heures exquises qui allaient fuir, que rien ne ferait renaître et que la destinée terminerait peut-être en fin de roman, au lieu du nouveau chapitre auquel tout son être aspirait.

DES INCONVÉNIENTS DE MAL REMPLIR SES FICHES D'HÔTEL

Ils avaient partagé, une dernière fois, le déjeuner de Paul Morec ; puis, ils avaient pris congé de Bossulan et de ses sympathiques habitants.

Les adieux avaient été un peu brusqués... pour couper l'émotion que chacun ressentait : Eliane avait les yeux humides, le brave Paul était tout près de s'attendrir et la vieille Katou ne songeait même pas à retenir une petite larme. Quant à Jean Valmont, il était resté silencieux. Son visage un peu sombre trahissait seul la couleur de ses pensées. C'est qu'il sentait tout proche le moment de se séparer d'Eliane... pour aller vers quel démoralisant inconnu ?

Maintenant, ils roulaient : Eliane, ayant refusé d'occuper dans l'auto les places du fond, s'était installée auprès de Jean, et celui-ci s'efforçait d'être attentif à sa tâche de conducteur et d'éviter à sa compagne les cahots de la route dure.

Le paysage était merveilleux, vert et fleuri, sous sa parure printanière. Autour des villages, les vergers mettaient l'allégresse de leurs arbres en fleurs et sur la lande éclatait à l'infini la symphonie d'or des genêts.

Depuis deux heures de l'après-midi, ils roulaient sur la route au goudron incrusté de mosaïque de granit clair, cette route aux côtes droites et dures qui, comme toutes les autres, en Bretagne, ne contourne pas la colline mais l'escalade sans hésiter.

Ils roulaient, serrés l'un contre l'autre avec une sorte de volupté.

Eliane babillait joyeusement ; jamais elle ne s'était sentie si gaie, et Jean, grisé par la chère présence et par l'intime sensation du trop proche contact, s'efforçait de ne pas penser au lendemain redoutable.

Après Guingamp, ce fut Saint-Brieuc, Lamballe, Rennes... puis, enfin, Le Mans.

C'est en cette dernière ville qu'ils avaient décidé de descendre.

Un hôtel assez moderne, sur la grande place, les accueillit.

Tout allait bien jusqu'ici. Ils avaient tous deux une faim de jeunes loups, avivée par le voyage. Et l'heure du dîner était proche.

Mais avant de les laisser se mettre à table, l'hôtelier, qui était scrupuleux, exigea de ce jeune couple, qui avait réclamé deux chambres, une formalité indispensable : ils devaient, chacun, remplir la fiche indicatrice de leur identité que réclame, en notre beau pays de France, l'indiscrète police à qui tout voyageur semble fatalement suspect du fait qu'il va coucher hors de chez lui.

Eliane commença par lire la sienne. Tout ce fatras l'amusait. Mais, pour répondre correctement au questionnaire, il convenait de s'entendre avec son compagnon, car il ne lui paraissait pas nécessaire de donner son nom véritable.

Elle se pencha donc vers Valmont qui, ayant tiré un stylo de sa poche, commençait à libeller son nom.

Déjà, le jeune homme avait écrit « Jean », quand il s'arrêta, subitement embarrassé.

La présence d'Eliane, qui lisait par-dessus son épaule, le paralysa soudain.

Quel nom fallait-il écrire, puisqu'elle avait ignoré jusqu'ici son nom patronymique véritable ?

Il faudrait bien qu'elle le connût un jour ou l'autre, mais il avait espéré que ce serait beaucoup plus tard... après qu'elle l'aurait quitté ! De cette façon, il ne verrait pas sa surprise... son mépris, peut-être, lorsqu'elle apprendrait quel pauvre hère était exactement celui qu'elle nommait si pompeusement « son sauveur ».

Penchée sur lui, Eliane percevait son hésitation et en était émue.

— Eh bien ? fit-elle. Continuez ! Il faut bien que, vous, au moins, vous mettiez votre état civil.

Il leva la tête et, très troublé, demanda :

— Il le faut, vous croyez ?

— Certainement... Tenez, donnez-moi ça !... Vous allez voir comme ça va aller vite.

Et, lui arrachant le stylo des doigts, elle le fit courir sur la fiche indiscrète.

Frappé de stupeur, le jeune homme lut son nom : « Jean Valmont » et toutes les indications qui le concernaient.

Il demeurait immobile, n'osant plus regarder sa compagne.

Eliane connaissait toute son identité ! S'il avait su qu'elle avait puisé tous ces renseignements dans le portefeuille trouvé par elle, auprès du vieux puits, il eût été moins interloqué, mais cela n'aurait pas diminué sa gêne.

— Ça va, ainsi ? demanda-t-elle, en le regardant bien franchement dans les yeux.

— Vous saviez qui j'étais !... C'est Paul qui vous a renseignée !

— Pas du tout !... Je vous connaissais déjà... Je pourrais vous dire que votre portrait, dans la chambre de Mme Croixmare, m'avait fait connaître vos traits, mais ce serait un mensonge : il me les a seulement évoqués. Je ne vous avais pas oublié. Vous avez été à Ostende mon premier danseur... C'est un capitaine de corvette, ami de ma mère, qui nous avait présentés l'un à l'autre... vous vous souvenez ?

— Je ne vous ai jamais oubliée, fit-il tout bas, très troublé qu'elle pût lui donner de telles précisions.

— Moi non plus, je n'avais pas oublié, avoua-t-elle simplement.

— Et, malgré tout le mal que vous avez dû entendre dire à mon sujet, sachant qui j'étais, vous avez pu être aussi aimable avec moi ?

— Je n'avais aucune raison d'agir différemment... Si je n'ai rien dit plus tôt, c'est que je voulais me faire de vous une idée impartiale.

— Comment cela ?

— Parce que j'ai beaucoup entendu parler de vous aux Houx-Noirs, dans les quinze jours qui ont suivi votre disparition et précédé la mienne. Or, les avis étaient partagés.

— Ah !

— Oui. Il y avait l'opinion de votre tante Croixmare, bonne et pleine de sympathie, qui prenait toujours votre défense avec tant d'ardeur et

274

de bienveillance que je la soupçonnais de quelque partialité en votre faveur...

— C'est bien possible, ma tante est la bonté même et l'indulgence en personne.

— Mais il y avait aussi l'opinion de Roger... C'est assez pénible à évoquer... vous comprenez ?

— Oui, certes.

— Roger parlait peu de vous, mais toujours avec malveillance... avec une sorte de gêne qu'il dissimulait sous une grande dureté. Naturellement, ce son de cloche m'était encore beaucoup plus suspect de partialité que celui de votre tante.

— Merci de cette bonne pensée.

— Vous n'en doutez pas, j'espère ! Alors, j'ai voulu juger personnellement : j'ai désiré vous voir vivre sans que vous vous doutiez que je savais qui vous étiez... Vous avez saisi ?

— Vous avez voulu me surprendre, en un mot.

— Oh ! vous surprendre ! quel vilain mot... non, vous connaître !

— Et... maintenant ?

La question avait été posée en hésitant.

— Maintenant ? dit Eliane, les yeux clairs et le visage sérieux. Maintenant, je vous connais bien... monsieur Jean... et je vous demande d'être mon ami.

Elle lui tendait la main, franchement.

— Votre ami en tout et toujours, mademoiselle Eliane, répondit le jeune homme avec ferveur.

Et, prenant la petite main qui se tendait vers lui, il y posa ses lèvres pour la première fois.

— Il reste à remplir ma fiche, dit Eliane avec vivacité, pour couper l'émotion qui les tenaillait subitement. Vous voulez bien, mon ami Jean, me donner votre nom ?

— Vous donner mon nom, répéta-t-il, complètement bouleversé. Oh ! ma chérie...

Il la regardait, éperdu et les yeux irradiés d'un suprême bonheur ; mais elle, très calme, continuait sans le voir :

— C'est très bien cela, « ma chérie ». Vous prenez tout à fait le ton qu'il faut !... Donc, j'écris : M{ lle } Eliane Valmont, sœur de M. Jean Valmont, etc. Ça fait très bien, hein ? Jamais Louis Manzin ni ses auxiliaires de la presse n'auront l'idée d'aller me dénicher là-dessous !

— Dites, mon grand frère, qu'est-ce que vous en pensez ?

— Ça fait très bien.

Elle pouvait le dévisager à présent ; il répondait à son sourire paisible, malgré la grosse déception qu'il venait d'éprouver.

Ils passèrent à table et s'assirent l'un en face de l'autre, dans la grande salle aux cuivres étincelants.

Ils avaient l'air d'un jeune ménage, et ils ne purent réprimer une légère gaieté lorsque la servante appela gravement Eliane « madame ».

— Je crois que nous n'avons pas du tout l'air d'être frère et sœur, observa cette dernière. Des frères, ça se tutoie et vous me dites « vous »... Il faudrait, peut-être que nous essayions d'être un peu moins cérémonieux... Qu'en pensez-vous, grand frère ?

Valmont s'accouda sur la table et, ne quittant pas des yeux son aimable vis-à-vis, il répondit :

— Tu as raison, ma petite Eliane chérie... Tu es une adorable petite sœur.

La jeune fille avait sursauté et était devenue toute rouge.

— Oh ! fit-elle, ça fait un drôle d'effet, la

première fois… C'est très embarrassant, il vaudrait mieux renoncer, il me semble ?

— Mais non, chérie, essaye au moins une fois, dit-il encore sur le même ton mesuré, mais impitoyablement câlin.

— Oui, évidemment, mon grand Jean, tu…

Elle s'arrêta pleine de confusion.

— Non ; réellement, jamais je ne pourrai.

— Chut ! fit-il, voici la servante.

Et, très à son aise :

— Tu veux encore un peu de cette omelette, petite Eliane ?

— Heu… oui… non, j'en ai assez !

— Ah ! quel dommage ! Elle est exquise.

— Madame a bien raison de se réserver pour le poulet, fit la servante en clignant des yeux d'un air complice. Et puis, il y a un entremets sucré… une vraie surprise !

— Mais il est exquis, votre menu ! fit Jean avec entrain.

— Un vrai repas de jeunes mariés, monsieur !… Vous serez contents !

Quand elle fut partie, les deux jeunes gens se regardèrent et se mirent à rire.

— Ça se complique ! C'est Mme Jean Valmont que j'aurais dû mettre, fit Eliane, égayée.

— Hum !… fit Jean, piteusement. Avec deux chambres… Et vous n'arrivez seulement pas à me traiter en frère.

— Si, si, tenez ! Pendant que cette femme vous parlait, j'imaginais un moyen de rendre la chose moins difficile.

— Et ce moyen ?

— Il n'y a qu'à s'imaginer ! Ainsi, moi, j'ai toujours souhaité avoir un grand frère. C'est un peu triste, l'existence d'une fille unique comme moi. On joue toujours seule quand on est petite et, plus tard, à l'âge des confidences, on n'a personne à qui déverser le trop-plein de son âme. Donc, j'aurais aimé avoir un frère... un grand frère comme vous... qui vous aurait ressemblé et qui aurait fait toutes mes volontés. En retour, il aurait possédé toute ma confiance et toute ma tendresse... Alors, je me dis que si vous étiez mon frère et que nous soyons comme aujourd'hui, tous les deux, faisant la dînette en voyage, je vous parlerais avec toute mon âme.

C'était au tour d'Eliane de s'accouder sur la table et de se pencher vers son compagnon :

— Alors, je vous dirais : « Mon grand frère chéri... doux compagnon de mon enfance et qui ne m'a jamais quittée, je suis heureuse d'être là, avec toi... protégée par ta tendresse et par ton dévouement... Mon Jean... mon Jean chéri, je voudrais demeurer toujours avec toi... que tu ne me quittes jamais... que je sois la seule femme à régner sur ton cœur... la seule dont la tendresse ne te fera jamais défaut... Je t'aime, mon grand Jean... jamais, comme ce soir, je n'ai éprouvé un tel besoin de te le dire... »

— Ma chérie !... répondit involontairement Jean, pris au piège d'une telle déclaration.

Elle avait fini de parler, mais ses yeux restaient plongés dans ceux de Valmont, et la vérité nous oblige à dire que tous les deux, en cette minute, oubliaient totalement la bienheureuse fiche qui les faisait frère et sœur pendant quelques heures dans ce correct hôtel sarthois.

Ce fut la jeune fille qui se ressaisit la première :

— Voilà, monsieur Valmont, ce que je dirais à

mon frère, si j'avais eu le bonheur d'en posséder un de votre âge et de votre caractère.

— Ma petite Eliane !... soupira l'amoureux, qui n'était pas encore redescendu sur terre. Mon Eliane chérie !

Par-dessus la table, sa main était allée emprisonner celle de la jeune fille.

Mais celle-ci, subitement, aperçut la caissière qui les regardait.

— Ah ! Jean, observa-t-elle à voix basse et remplie de confusion, soyons sérieux ! Si cette femme a lu notre fiche, pour un frère et une sœur, qu'est-ce qu'elle va s'imaginer !

Elle pouffait de rire.

Valmont lança un regard malveillant à la malencontreuse caissière dont la curiosité indiscrète l'obligeait à lâcher la petite main si tendrement emprisonnée.

Mais, puisque ce geste était trop ostensible, il en eut un autre plus discret : ses pieds allèrent emprisonner ceux de sa rougissante compagne, lesquels ne se dérobèrent pas.

Et, de nouveau, nos deux héros oublièrent la terre entière.

— Tout bien considéré, fit Eliane, au bout d'un moment, si notre fiche n'a pas été ramassée, nous allons la rétablir comme il se doit.

— Mon Dieu ! qu'est-ce qu'il va falloir écrire, cette fois ?

— Mon vrai nom, tout bonnement ! Au grand jour et sans obscur mystère : Eliane de Surtot, fiancée de M. Jean Valmont, avec lequel elle va se marier le plus tôt possible. Et, cette fois, ajouta-t-elle avec autorité, cette fiche-là sera la bonne et il ne faudra plus jamais la détruire ! N'est-ce pas votre avis, mon grand ami ?

Mais Jean était incapable de parler. Il se contentait de la regarder éperdument, en tremblant de tous ses membres devant le grand bonheur qui se levait pour lui.

XII

LE TRIOMPHE DU DÉTECTIVE

Arrivés à dix heures du matin à Paris, Eliane et Jean se séparèrent devant une station de taxis.

Par téléphone, du Mans, ils avaient prévenu Mme de Surtot de leur arrivée et celle-ci, dont l'angoisse était enfin calmée, attendait sa fille et son sauveur avec la plus vive impatience.

Mais Eliane avait préféré que Jean ne l'accompagnât pas chez elle, où elle voulait d'abord mettre sa mère au courant des terribles aventures qui avaient failli se terminer si tragiquement pour elle.

La jeune fille désirait aussi, avant de présenter Valmont, faire à sa mère la confidence du doux roman ébauché avec celui qui lui avait sauvé la vie. N'était-il pas plus correct d'obtenir de l'indulgente maman qu'elle prît, elle-même, l'initiative de la rupture avec le propriétaire des Houx-Noirs ?

Et deux autres raisons encore faisaient agir Eliane.

D'abord, elle tenait à ce que Jean touchât la prime donnée par sa tante. Il fallait donc le désigner ouvertement à la préfecture comme étant celui qui, tout seul et sans aide, l'avait sauvée.

Devant le fait accompli, le jeune homme ne pourrait que s'incliner.

Ensuite, il fallait, si possible, éviter les premiers commentaires de la presse. Le retour de la rescapée avec Valmont aurait fait couler des flots d'encre dans les journaux. Tandis que Louis Manzin, mis au courant de la vérité, arrangerait l'histoire pour le mieux.

Quand Valmont l'y rejoindrait dans la soirée, comme elle le lui avait fait promettre, tous ces points seraient arrangés et la chère maman ne serait pas obligée d'accepter par surprise ce nouveau fiancé de sa fille que rien ne laissait prévoir.

Et il en fut bien ainsi, ce soir-là et les jours qui suivirent, pour tout ce qu'Eliane avait envisagé.

Quand Valmont, un peu ému, sonna le soir à la porte des deux femmes, il fut accueilli par une maman indulgente et reconnaissante qui le serra dans ses bras avec émotion, comme s'il était déjà son fils.

Par ailleurs, les journaux du soir et ceux du lendemain annoncèrent en énormes manchettes deux sensationnelles nouvelles : la première fut le retour d'Eliane, que tout le monde croyait morte, et la seconde fit connaître que la prime avait été versée au sauveur anonyme qui, si intelligemment, avait volé au secours de la malheureuse victime du vieux puits.

Cependant l'opinion publique avait été tellement secouée par cette abracadabrante histoire qu'il fut impossible aux deux héros de se dérober complètement aux infatigables reporters.

S'ils ne réussirent pas à atteindre Valmont qui, très occupé à renflouer les affaires de son ami Lanfred, ne venait que tard, dans la soirée, chez la mère de sa fiancée, du moins obsédèrent-ils celle-ci de leurs interviews répétées.

Eliane, à qui son affection pour Jean Valmont avait donné du sens pratique, accepta de servir d'intermédiaire entre eux et son sauveur.

Avec un étonnant à-propos et une non moins merveilleuse décision, elle fit préparer pour Valmont un bon petit contrat en règle, où il était spécifié que le jeune homme réservait en exclusivité à un grand journal du matin le récit de leur double aventure, moyennant la bagatelle d'un demi-million. Une seule réserve était faite : celui qui écrirait l'article le signerait d'un pseudonyme, afin de garder l'anonymat auquel il tenait par-dessus tout.

Et comme Eliane collabora à la confection de cette histoire vécue, nous pouvons affirmer que les deux fiancés, tout en racontant la vérité, surent néanmoins en cacher les points trop sensibles qui eussent couvert d'opprobre le nom de Croixmare, jusqu'ici honoré.

Disons d'ailleurs que Roger Croixmare ne connut pas le retour d'Eliane ni le bonheur de Jean Valmont. Le misérable était devenu fou.

Depuis le départ des Houx-Noirs de Louis Manzin, qui lui avait affirmé que le vieux puits rendrait tous ceux qu'il contenait, le jeune châtelain avait complètement perdu la raison.

Armé d'un fusil, le dément surveillait nuit et jour le mystériaux puits, pour tuer tous les revenants qui s'aviseraient d'en sortir. Mais comme sa folie, au bout de quelques jours, était devenue furieuse et qu'il menaçait de son arme tous ceux qui approchaient du sinistre bouquet de pins, il devint nécessaire de l'interner.

Mme Croixmare, en apprenant l'événement à ses deux amis, Mlle de la Brèche et Mme de Surtot, exprima tous ses regrets du nouveau malheur qui la frappait, en même temps qu'elle rendait à Eliane « sa parole, si jamais on retrouvait la jeune fille ».

Il est probable que la malheureuse mère avait dû saisir bien des choses dans les paroles incohérentes que son fils laissait échapper... Elle avait dû reconstituer en partie le drame. Et si son attitude ne permit jamais à quelqu'un d'en augurer, du moins fit-elle à son neveu un magnifique et maternel cadeau quand celui-ci épousa Eliane, quelques semaines après que le bruit fait autour du vieux puits se fut éteint.

Mais Louis Manzin ? direz-vous. Que devient ce fin limier de la préfecture ?

Eh bien ! il triomphe, tout simplement !

N'avait-il pas affirmé que là où se trouvait Jean Valmont était aussi la disparue ?

N'avait-il pas deviné, bien avant qu'il en fût question, l'amour des deux jeunes gens l'un pour l'autre ?

Enfin, n'avait-il pas prédit que jamais Eliane de Surtot n'épouserait Roger Croixmare ?

Et tout ce qu'il avait annoncé ne s'est-il pas réalisé ?

Il triomphe, Louis Manzin, et avec orgueil, encore.

Au surplus, combien d'autres fins limiers triomphent comme lui ?

Tout simplement parce que le hasard est le dieu des détectives et que, bien souvent, complètement pourtant en dehors d'eux, les circonstances leur donnent raison !

Achevé d'imprimer en mars 1983
sur les presses de l'Imprimerie Bussière
à Saint-Amand (Cher)

— Nᵒ d'édit. 5. — Nᵒ d'imp. 113. —
Dépôt légal mars 1983.

Printed in France

ISBN 2-235-01026-1